Gorros de Punto

Gorros de Punto

40 modelos para cualquier estado de ánimo

CATHY CARRON

DRAC

Editora: Eva Domingo

Primera edición: 2010
Segunda edición: 2012

Publicado por primera vez en inglés en EE.UU.
en 2009, con el título *Hattitude*, por Sixth&Spring
books, Nueva York, U.S.A.

Esta edición se publica por acuerdo con Sterling
Publishing Co. Inc., Nueva York, U.S.A.

Marqués de Urquijo, 34. 28008 Madrid
Tel.: 91 559 98 32. Fax: 91 541 02 35
E-mail: info@editorialeldrac.com
www.editorialeldrac.com

Fotografías: Rose Callahan
Estilismo: Julie Hines
Peluquería y maquillaje: Ingeborg K.
Diseño de cubierta: José María Alcoceba
Traducción: Ana María Aznar
Revisión técnica: Esperanza González

ISBN: 978-84-9874-146-9
Depósito legal: M-33.088-2010
Impreso en Gráficas Muriel, S.A.
Impreso en España - *Printed in Spain*

Este libro se ha negociado por mediación
de Ute Körner Literary Agent, S.L.,
Barcelona-www.uklitag.com

Agradecimientos

No hay dos sin tres. Y en esta tercera vez tengo que dar las gracias a Trisha Malcolm. No dudó en aceptar mi propuesta de libro y pacientemente me guió a través del proceso editorial en Sixth&Spring Books. Su actitud sosegada y eficiente fue bastante más que tranquilizadora, muchas, muchas gracias.

Además fue todo un placer trabajar con el equipo increíblemente unido y competente de Trish; es un equipo que se afana con diligencia y precisión. Estoy en deuda con mi editora Michelle Bredeson por su calma y paciencia y su asesoramiento; con Joe Vior por su acertada dirección artística, por su fino sentido del color y del humor; con Tanis Gray por su profundo conocimiento del mercado de las lanas y su buen gusto en todas las labores de punto; con Julie Hines por su inteligente estilismo y con Pat Harste por revisar y descifrar con todo cuidado mis patrones escritos. A todos os doy las gracias, fue un placer.

Mi cariño y mi agradecimiento también a mi musa, Lydia, mi hija pequeña, que me inspira y posa para mí. Su buen gusto en todo lo relacionado con la moda es una maravilla; es una alegría verla evolucionar y aprender de ella al mismo tiempo. Y por último, a Andrew, mi marido, mi técnico en casa y míster Maravilla en todas la cosas que hace, gracias de todo corazón.

Índice general

teatral
arrogante
digno

Introducción

Estoy de humor... ¡para tejer unos gorros!

Hay una expresión antigua que dice "el hábito no hace al monje". ¡También se podría decir que el gorro hace a la mujer y la mujer hace el gorro! Cuando se ha decidido tejer un gorro, hay que pensar qué clase de tocado se desea. El surtido es variado y amplio. Lo primero es decidir la forma general, luego el color y la textura y, por último, los detalles. ¿Cómo elegimos las mujeres?

Una forma de decidir es guiándose por la intuición. ¿Qué se siente al ver un gorro en particular? A algunas no les resulta difícil saber qué se van a poner por la mañana, una copia exacta de lo que se pusieron el día anterior. A esas personas les va bien el estilo uniforme. Pero muchas de nosotras, delicadas y susceptibles, nos guiamos por nuestros sentidos y por impulsos momentáneos. Hay días en los que no soy capaz de llevar algo de colores vivos y otros días en los que elijo una blusa rosa chillón. Aunque no lo admitan, algunos chicos también estudian por la mañana qué camisa y qué corbata se ponen. No pienso especialmente en los "porqués", pero sé que mis decisiones se basan en mi estado de ánimo cuando me levanto de la cama por las mañanas. ¿Y qué tiene de malo cuando hay dónde elegir?

En cuanto a tejer los gorros, las opciones aumentan con la multitud de colores y texturas de lana de que disponemos hoy; es un auténtico cuerno de la abundancia. Hojea el libro, piensa en cómo respondes a cada uno de los cuarenta modelos y ponte manos a la obra. Y naturalmente, ¡siempre puedes tejer varios gorros para tus distintos estados de ánimo!

No te rindas nunca y mantén la cabeza caliente.

Cathy Carron

MATERIALES

Lana

Montera, de Classic Elite Yarns, madejas de 100 g, y de aprox. 116 m (llama/lana)

- 1 madeja del n.º 3887 pear (verde claro) (A)
- 1 madeja del n.º 3846 maquito (verde oscuro) (B)

Agujas

- Agujas circulares (ag. circ.) del n.º 9 (5,5 mm), de 40 cm y 60 cm de largo o del tamaño adecuado para la muestra
- 1 juego de 4 agujas de doble punta (ag. dp.) del n.º 9 (5,5 mm)

Fornituras

- Marcador de puntos (marc.)

BOINA ASIMÉTRICA

Esta espectacular boina enmarca la cara favoreciéndola. Se teje desde la corona hacia abajo y su ala extra-ancha se trabaja en forma de boina tradicional, pero algo más larga. Una raya de contraste en la línea de la frente la hace aún más exclusiva.

TALLAS

Mediana (Grande)

MEDIDAS FINALES

Circunferencia: 45,5 (49) cm

MUESTRA

16 p. y 24 v. = 10 cm a punto liso, con ag. circ. del n.º 9 (5,5 mm).
Hacer siempre la muestra.

GLOSARIO DE PUNTOS

Aum.: tejer el p. por delante y por detrás.

GORRO

Corona

Con ag. dp. y A, montar 12 p., dejando un cabo largo para coser. Dividir los p. en 3 agujas. Unir, cuidando de no retorcer los p. en la ag. Poner marc. al ppio. de la v.
1.ª v. y todas las v. impares del derecho.
2.ª v. *1 p. der., 1 aum. en el p. sig.; rep. desde * hasta el final = 18 p.
4.ª v. *2 p. der., 1 aum. en el p. sig.; rep. desde * hasta el final = 24 p.
6.ª v. *3 p. der., 1 aum. en el p. sig.: rep. desde * hasta el final = 30 p.
8.ª v. *4 p. der., 1 aum. en el p. sig.; rep. desde * hasta el final = 36 p.
10.ª v. *5 p. der., 1 aum. en
rep. desde * hasta el final =
12.ª v. *6 p. der., 1 aum. en
rep. desde * hasta el final =
14.ª v. *7 p. der., 1 aum. en
rep. desde * hasta el final =
16.ª v. *8 p. der., 1 aum. en e
rep. desde * hasta el final = 6
Cambiar a la ag. circ. más cor
haciendo 1 p. der. más, antes d
1 aum. cada 2 v., otras 8 (9) vec
más, cambiando a la ag. circ. la
= 108 (114) p.

Vuelta de la copa

Hacer 2 v. del rev.

Copa

Hacer 2 v. del der.
1.ª v. *16 (17) p. der., 2 p. juntos der.; rep. desde * hasta el final = 102 (108) p.
2.ª v. y todas las v. pares del derecho.
3.ª v. *15 (16) p. der., 2 p. juntos der.; rep. desde * hasta el final = 96 (102) p.
5.ª v. *14 (15) p. der., 2 p. juntos der.; rep desde * hasta el final = 90 (96) p.
Cambiar a la ag. circ. más corta. Cont. tejiendo 1 p. der. menos, antes de mg., 3 veces más, cada 2 v. = 72 (78) p.

Banda

1.ª y 2.ª v. *1 p. der., 1 p. rev.; rep. desde * hasta el final.
3.ª y 4.ª v. con B, rep. las v. 1.ª y 2.ª
5.ª y 6.ª v. con A, rep. las v. 1.ª y 2.ª
Cerrar sin apretar a punto de elástico.

ACABADO

Enhebrar el cabo del ppio. en una aguja de tapicería. Pasar el cabo por alrededor de la abertura en lo alto de la corona. Tirar para cerrar y rematar el cabo.

MATERIALES

Lana

Soft Chunky, de Twinkle de Wenlan/Classic Elite Yarns, madejas de 200 g y aprox. 76 m (lana)

- 1 madeja del n.º 1 Eggplant (berenjena)

Agujas

- Aguja circular (ag. circ.) del n.º 15 (10 mm), de 40 cm de largo o del tamaño adecuado para la muestra
- 1 juego de 4 agujas de doble punta (ag. dp.) del n.º 15 (10 mm)
- Aguja auxiliar (ag. aux.) para ochos

Fornituras

- Marcador de puntos (marc.)

GORRO ALTO CON TRENZAS

Todo en este suntuoso gorro es generoso: los cruces extragrandes que forman una pequeña ala, la lana gruesa y el intenso color morado, el color de la realeza y de la riqueza. Aunque seguro que lo querrás para ti.

TALLA

Única.

MEDIDAS FINALES

Circunferencia: 45,5 cm.

MUESTRA

8 p. y 10 v. = 10 cm a punto liso, con ag. circ. del n.º 15 (10 mm). **Hacer siempre la muestra.**

GLOSARIO DE PUNTOS

Cruce a la dcha. de 10 p. desl. 5 p. sig. a la ag. aux. por detrás de la labor, 5 p. der., 5 p. der. de la ag. aux.
Cruce a la izq. de 10 p. desl. 5 p. sig. a la ag. aux. por delante de la labor, 5 p. der., 5 p. der. de la ag. aux.
Cruce a la dcha. de 6 p. desl. 3 p. sig. a la ag. aux. por detrás de la labor, 3 p. der., 3 p. der. de la ag. aux.
Cruce a la izq. de 6 p. desl. 3 p. sig. a la ag. aux. por delante de la labor, 3 p. der., 3 p. der. de la ag. aux.

GORRO

En la ag. circ., montar 44 p. Unirlos, cuidando de no retorcer los p. en las ag. Poner marc. al ppio. de la v.
1.ª a 6.ª v. 9 p. der., 3 p. rev., 20 p. der., 3 p. rev., 9 p. der.
7.ª v. 9 p. der., 3 p. rev, cruzar 10 p. a la dcha., cruzar 10 p. a la izq., 3 p. rev., 9 p. der.
8.ª a 11.ª v. rep. la 1.ª v.
12.ª a 21.ª v. rep. las v. 1.ª a 10.ª
22.ª v. 7 p. der., 2 p. j. der. por detrás, 3 p. rev., [3 p. der., 2 p. j. der. por detrás] 2 veces, [2 p. j. der. por detrás, 3 p. der.] 2 veces, 3 p. rev., 2 p. j. der. por detrás, 7 p. der. = 38 p.
23.ª y 24.ª v. tejer del der. los p. del der., y del rev. los p. del rev.
25.ª v. 6 p. der., 2 p. j. der. por detrás, 3 p. rev., 2 p. der., [2 p. j. der. por detrás] 2 veces, 2 p. der., 3 p. rev., 2 p. j. der. por detrás, 6 p. der. = 32 p.
26.ª v. 7 p. der., 3 p. rev., cruzar 6 p. a la dcha., cruzar 6 p. a la izq., 3 p. rev., 7 p. der.
27.ª v. 5 p. der., 2 p. j. der. por detrás, 1 p. rev., 2 p. j. rev., 12 p. der., 2 p. j. rev., 1 p. rev, 2 p. j. der. por detrás, 5 p. der. = 28 p.
28.ª v. tejer del der. los p. del der., y del rev. los p. del rev.
29.ª v. 6 p. der., 2 p. j. rev., 12 p. der., 2 p. j. rev., 6 p. der. = 26 p.
30.ª v. rep. la v. 26.ª
31.ª v. [2 p. j. der. por detrás] 13 veces = 13 p. Cortar la hebra dejando un cabo de 15,5 cm. Enhebrarlo en una aguja de tapicería y pasarlo por el resto de los p. Tirar bien y rematar la hebra.

Generoso

MATERIALES

Lana
Peruvian, de Berroco, Inc., madejas de 100 g y aprox 160 m (lana del altiplano peruano)
- 1 madeja del n.º 7110 naranja

Agujas
- Aguja circular (ag. circ.) del n.º 10 (6 mm) de 40 cm de largo o del tamaño adecuado para la muestra
- Un juego de 4 agujas de doble punta (ag. dp.) del n.º 10 (6 mm)

Fornituras
- Marcador de puntos (marc.)

GORRO A PUNTO DE CANASTA

El dibujo de canasta no puede ser más sencillo. Es fácil de recordar e incluso se puede trabajar "a ojo". El cálido color naranja y la forma divertida respiran energía.

TALLAS

Mediana (Grande).

MEDIDAS FINALES

Circunferencia: 48 (53,5) cm.

MUESTRA

15 p. y 20 v. = 10 cm en punto de canasta, con ag. circ. del n.º 10 (6 mm). **Hacer siempre la muestra.**

NOTA

El gorro va forrado al mismo tiempo. Después de hacer la corona, cont. por la copa interior y luego por la exterior; doblar ésta hacia el derecho y coserla en su sitio.

GLOSARIO DE PUNTOS

Aum.: tejer el p. del der. por delante y por detrás.

PUNTO DE CANASTA

(Múltiplo de 6 p.).
1.ª a 4.ª v. *1 p. der., 4 p. rev., 1 p. der..; rep. desde * hasta el final.
5.ª v. del der.
6.ª a 9.ª v. *2 p. rev., 2 p. der., 2 p. rev.; rep. desde * hasta el final.
10.ª v. del der.
Rep. las v. 1.ª a 10.ª para hacer el dibujo de canasta.

GORRO

Corona
Con ag. dp., montar 12 p., dejando un cabo largo para coser. Dividir los p. en 3 ag. Unir, cuidando de no retorcer los p. en las ag., y poner marc. al ppio. de la v.
1.ª v. del derecho.
2.ª v. [1 aum. en el p. sig.] 12 veces = 24 p.
3.ª a 5.ª v. del derecho.
6.ª v. *1 p. der., 1 aum. en el p. sig.; rep. desde * hasta el final = 36 p.
7.ª a 9.ª v. del derecho.
10.ª v. *2 p. der., 1 aum. en el p. sig.; rep. desde * hasta el final = 48 p.
11.ª a 13.ª v. del derecho.
14.ª v. *3 p. der., 1 aum. en el p. sig.; rep. desde * hasta el final = 60 p.
15.ª a 17.ª v. del derecho.
18.ª v. *4 p. der., 1 aum. en el p. sig.; rep. desde * hasta el final = 72 p.
19.ª a 21.ª v. del derecho.
Para la talla mediana sólo
22.ª v. *11 p. der., 1 aum. en el p. sig.; rep. desde * hasta el final = 78 p.
23.ª y 24.ª v. del derecho.
Para las dos tallas
Cambiar a ag. circ. Hacer 2 v. del rev. para la vuelta de la copa.
Interior de la copa
Tejer a p liso del revés durante 14 cm.
Exterior de la copa
Volver la copa y el forro (liso del derecho) hacia el revés. Hacer 2 v. del derecho. Rep. 2 veces las v. 1.ª a 10.ª de punto de canasta, luego una vez las v. 1.ª a 5.ª Cerrar, sin apretar, del derecho; cortar la hebra dejando un cabo de 61 cm.

ACABADO

Volver del derecho la corona y el forro (lado liso del revés), hacia fuera. Enhebrar el cabo del ppio. en una aguja de tapicería. Pasar el cabo por la abertura en lo alto de la corona. Tirar bien para cerrar y rematar. Doblar hacia el derecho el punto de canasta de modo que el borde coincida con la vuelta de la copa entre la corona y el forro. Con el cabo del final, coser en su sitio el borde, con un punto de cadeneta (ver página 96).

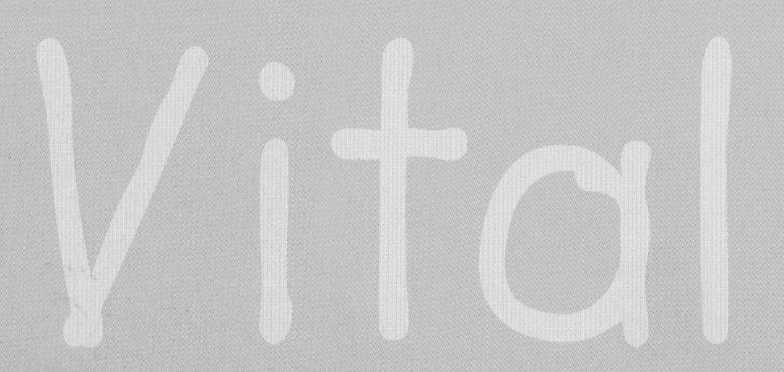

MATERIALES

Lana

Bulky de Blue Sky Alpacas, en madejas de 100 g y aprox. 41 m (alpaca/lana)

- 1 madeja n.º 1009 bobcat (crudo) (A)
- 1 madeja n.º 1008 black bear (marrón) (B)
- 1 madeja n.º 1007 gray wolf (gris) (C)

Agujas

- Aguja circular (ag. circ.) del n.º 10½ (6,5 mm), de 40 cm de largo o del tamaño adecuado para la muestra
- Un juego de 4 agujas de doble punta (ag. dp.) del n.º 10½ (6,5 mm)

Fornituras

- Marcador de puntos (marc.)

GORRO DE VIGÍA BICOLOR

¡Cuánto se podría escribir de un gorro de punto, básico y confortable! Éste está tejido en colores neutros, con lana bastante gruesa y los aumentos desde la copa se distribuyen en triángulo, una variante de la forma de corona habitual. El remate en dos tonos crea la ilusión de una banda, pero también queda bonito en un solo tono.

TALLAS

Mediana (Grande)

MEDIDAS FINALES

Circunferencia: 49,5 (56) cm

MUESTRA

15 p. y 13 v. = 10 cm en elástico 1 der./1 rev. con la ag. circ. del n.º 10½ (6,5 mm) (sin estirar).
11 p. y 13 v. = 10 cm en elástico 1 der./1 rev. con la ag. circ. del n.º 10½ (6,5 mm) (ligeramente estirado).
Hacer siempre la muestra.

GORRO

Corona

Con ag. dp. y A, montar 12 p., dejando un cabo largo para coser. Dividir los p. en 3 ag. Unir, cuidando de no retorcer los p. en las agujas, y poner marc. al ppio. de la v.
1.ª v. del derecho.
2.ª v. *1 p. der., 1 h., 1 p. der., 1 p. rev., 1 p. der., 1 h.; rep. desde * 2 veces más = 18 p.
3.ª v. *1 p. der., 1 p. rev.; rep. desde * hasta el final de la v.
4.ª v. *1 p. der., 1 h., [1 p. rev., 1 p. der.] 2 veces, 1 p. rev., 1 h.; rep. desde * 2 veces más = 24 p.
5.ª v. *1 p. der., [1 p. der., 1 p. rev.] 3 veces, 1 p. der.; rep. desde * 2 veces más.
6.ª v. *1 p. der., 1 h., [1p. der., 1p. rev.] 3 veces, 1 p. der., 1 h.; rep. desde * 2 veces más = 30 p.
7.ª v. *1 p. der., 1 p. rev.; rep. desde * hasta el final.
8.ª v. *1 p. der., 1 h., [1 p. rev., 1 p. der.] 4 veces, 1 p. rev. 1 h..; rep. desde * 2 veces más = 36 p.
9.ª v. *1 p. der., [1 p. der., 1 p. rev.] 5 veces, 1 p. der., rep. desde * 2 veces más.
10.ª v. *1 p. der., 1 h., [1 p. der., 1 p. rev.] 5 veces, 1 p. der., 1 h.; rep. desde * 2 veces más = 42 p.
11.ª v. *1 p. der., 1 p. rev.; rep. desde * hasta el final de la v.
12.ª v. *1 p der., 1 h., [1 p. rev., 1 p. der.] 6 veces, 1 p. rev., 1 h.; rep. desde * 2 veces más = 48 p.
13.ª v. *1 p. der., [1 p. der., 1 p. rev.] 7 veces, 1 p. der.; rep. desde * 2 veces más.
14.ª v. *1 p. der., 1 h., [1 p. der., 1 p. rev.] 8 veces, 1 p. der., 1 h.; rep. desde * 2 veces más = 54 p.

Para la talla grande sólo

15.ª v. *1 p. der., 1 p. rev.; rep. desde * hasta el final de la v.
16.ª v. *1 p. der., 1 h., [1 p. rev., 1 p. der.] 8 veces, 1 p. rev., 1 h.; rep. desde * 2 veces más = 60 p.

Para las dos tallas

Cambiar a la ag. circ.

Copa

Cont. a punto de elástico 1/1 como se indicaba, hasta que la pieza mida 15 cm desde arriba de la corona. Cambiar a B. Trabajar a elástico 1/1 durante 7,5 (9) cm. Cambiar a C. Cerrar a punto de elástico sin apretar.

ACABADO

Enhebrar el cabo del ppio. en una aguja de tapicería. Pasar el cabo por la abertura en lo alto de la corona. Tirar bien de la hebra para cerrar y rematar.

Natural

MATERIALES

Lana
Pura lana DK de Rowan/Westminster Fibers Inc., en ovillos de 50 g, y aprox. 125 m (lana lavable)
- 3 ovillos del n.º 28 frambuesa

Agujas
- Aguja circular (ag. circ.) del n.º 6 (4 mm), de 40 cm de largo o del tamaño adecuado para la muestra
- Un juego de 4 agujas de doble punta (ag. dp.) del n.º 6 (4 mm)

Fornituras
- Marcador de puntos (marc.)
- Hebilla acrílica redonda de 76 mm

CLOCHE CON HEBILLA

¿Quién podría reprocharte que te sintieras arrogante con este gorro tan chic? Su asimetría empieza sutilmente en la banda de elástico; después de la banda, sube una sección del elástico por un lateral hasta arriba donde se convierte en parte de la tira de adorno y termina en punto elástico fruncido. Una hebilla vintage la sujeta a un lado del gorro. ¡Un estilo relajado y bien pensado!

TALLAS

Mediana (Grande)

MEDIDAS FINALES

Circunferencia: 48 (52) cm.

MUESTRA

24 p. y 28 v. = 10 cm a punto liso del der. con ag. circ. del n.º 6 (4 mm).
Hacer siempre la muestra.

GLOSARIO DE PUNTOS

Aum.: tejer el p. por delante y por detrás.

ELÁSTICO RETORCIDO

(Múltiplo de 2 p.).
1.ª v. *1 p. der. ret., 1 p. rev.; rep. desde * hasta el final de la v.
Rep. la 1.ª v. para el elástico retorcido.

GORRO

Borde
En la ag circ., montar 114 (122) p. Unir, cuidando de no retorcer los p. en la ag., y poner marc. al ppio. de la v. Hacer 10 v. a punto de elástico retorcido.

Copa
V. sig. trabajar a p. de elástico ret. los 30 primeros p., marc., p. der. hasta el final. Cont. tejiendo los 30 primeros p. a elástico ret. y los otros 84 (92) p. al derecho hasta que la pieza mida 15,5 (16,5) cm desde el ppio.

Corona
1.ª v. trabajar a elástico ret., hasta el primer marc., *2 p. j. der.; rep. desde *hasta el final = 72 (76) p.
2.ª v. trabajar a elástico ret. hasta el primer marc., p. der. hasta el final.
3.ª v. trabajar a elástico ret. hasta el primer marc., 1 p. der., 2 p. j. der., 1 p. der. hasta los 2 últimos p., SS. = 70 (74) p.
4.ª a 11.ª v. rep. la 2.ª y 3.ª v. 4 veces = 62 (66) p. Cambiar a ag. dp.
12.ª v. trabajar a elástico ret. hasta el primer marc., [2 p. j. der.] 16 (18) veces = 46 (48) p.
13.ª v. trabajar a elástico ret. hasta el primer marc., p. der. hasta el final.
14.ª v. trabajar a elástico ret. hasta el primer marc., [2 p. j. der.] 8 (9) veces = 38 (39) p.

Para la talla grande sólo
V. sig. trabajar a elástico ret. hasta el primer marc., 3 p. der., 2 p. j. der., 4 p. der. = 38 p.

Para las dos tallas
Trabajar los 38 p. siguiendo el dibujo, durante 18 cm.

Frunce
V. sig. *1 aum. en el p. sig.; 1 p. rev.; rep. desde * hasta el final = 57 p.
V. sig. *2 p. der., 1 p. rev.; rep. desde * hasta el final.
V. sig. *[1 aum. en el p. sig.] 2 veces, 1 p. rev.; rep. desde * hasta el final = 95 p.
V. sig. *4 p. der., 1 p. rev.; rep. desde * hasta el final. Cerrar a p. de elástico.

ACABADO

Colocar la hebilla en el centro de la parte lisa del derecho de modo que la barra central de la hebilla quede horizontal y el borde inferior de la hebilla esté a 4,5 cm del borde inferior del gorro. Coser la barra central en su sitio. Doblar la parte alta del gorro y pasarla por la hebilla.

Arrogante

Modesto

MATERIALES

Lana

Cashsoft Aran de Rowan/Westminster Fibers Inc., ovillos de 50 g y aprox. 87 m (merino extrafino/microfibra acrílica/cachemir)

- 3 ovillos del n.º 18 forest (verde bosque)

Agujas

- Agujas circulares (ag. circ.) del n.º 8 (5 mm), de 40 cm y de 61 cm de largo o del tamaño adecuado para la muestra.
- Un juego de 4 agujas de doble punta (ag. dp.) del n.º 8 (5 mm)

Fornituras

- Imperdibles
- Marcador de puntos (marc.)

GORRO ATADO

El espíritu pionero impregna la modestia de este gorro. Recatado y tradicional, por su forma combina con un abrigo más moderno. La escritora Willa Cather estaría orgullosa.

TALLAS

Mediana (Grande)

MEDIDAS FINALES

Circunferencia: 47 (54,5) cm

MUESTRA

18 p. y 24 v. = 10 cm con rayas a p. de musgo, utilizando ag. circ. del n.º 8 (5 mm). **Hacer siempre la muestra.**

GLOSARIO DE PUNTOS

Aum.: tejer el p. por delante y por detrás.

RAYAS A PUNTO DE MUSGO

1.ª a 3.ª v. del derecho.
4.ª v. del revés.
Rep. las v. 1.ª a 4.ª para las rayas a punto de musgo.

GORRO

Corona

Con ag. dp., montar 12 p., dejando un cabo largo para coser. Dividir los p. en 3 ag. Unir, cuidando de no retorcer los p. en las ag., y poner marc. al ppio. de la v.
1.ª, 3.ª y 5.ª v. del derecho.
2.ª v. [1 aum. en el p. sig.] 12 veces = 24 p.
4.ª v. del revés.
6.ª v. *1 p. der., 1 aum. en el p. sig.; rep. desde * hasta el final = 36 p.
7.ª a 9.ª v. rep. las v. 3.ª a 5.ª
10.ª v. *2 p. der., 1 aum. en el p. sig.; rep. desde * hasta el final = 48 p.
11.ª a 13.ª v. rep. las v. 3.ª a 5.ª
14.ª v. *3 p. der., 1 aum. en el p. sig.; rep. desde * hasta el final = 60 p.
15.ª a 17.ª v. rep. las v. 3.ª a 5.ª
18.ª v. *4 p. der., 1 aum. en el p. sig.; rep. desde * hasta el final = 72 p.
19.ª a 21.ª v. rep. las v. 3.ª a 5.ª
Cambiar a la ag. circ. más corta.
22.ª v. *5 p. der., 1 aum. en el p. sig.; rep. desde * hasta el final = 84 p.
23.ª a 25.ª v. rep. las v. 3.ª a 5.ª
26.ª v. *6 p. der., 1 aum. en el p. sig.; rep. desde * hasta el final = 96 p.
27.ª a 29.ª v. rep. las v. 3.ª a 5.ª
30.ª v. *7 p. der., 1 aum. en el p. sig.; rep. desde * hasta el final = 108 p.
31.ª a 33.ª v. rep. las v. 3.ª a 5.ª
34.ª v. *8 p. der., 1 aum. en el p. sig.; rep. desde * hasta el final = 120 p.
35.ª a 37.ª v. rep. las v. 3.ª a 5.ª
38.ª v. *9 p. der., 1 aum. en el p. sig.; rep. desde * hasta el final = 132 p.
Cambiar a la ag. circ. más larga.
39.ª a 41.ª v. rep. las v. 3.ª a 5.ª

Para la talla grande sólo

42.ª v. *10 p. der., 1 aum. en el p. sig.; rep. desde * hasta el final = 144 p.
43.ª a 45.ª v. rep. las v. 3.ª a 5.ª

Para las dos tallas

Vuelta de la corona

1.ª v. *9 (10) p. der. , 2 p. j. der.; rep. desde * hasta el final = 120 (132) p.
2.ª v. del derecho.
3.ª v. del revés.
4.ª v. *8 (9) p. der., 2 p. j. der.; rep. desde * hasta el final =108 (120) p.
5.ª v. del derecho.
6.ª v. del revés.
7.ª v. *7 (6) p. der., 2 p. j. der.; rep. desde * hasta el final = 96 (108) p.
8.ª v. del derecho.
9.ª v. del revés. Cambiar a la ag. circ. más corta.
10.ª v. *6 (7) p. der., 2 p. j. der.; rep. desde * hasta el final = 84 (96) p.
11.ª v. del derecho.
12.ª v. del revés.

(Continúa en la página 90).

MATERIALES

Lana

Angora Schulana de Shulana/Skacel Collection, Inc., en ovillos de 50 g y aprox. 25 m (angora)

- 4 ovillos de color n.º 310 olive/purple multi (matizado oliva/morado)

Agujas

- Aguja circular (ag. circ.) del n.º 7 (4,5 mm), de 40 cm de largo o del tamaño adecuado para la muestra
- Un juego de 4 agujas de doble punta (ag. dp.) del n.º 7 (4,5 mm)

Fornituras

- Marcador de puntos (marc.)

GORRO DE ANGORA

La angora es una de las fibras más suaves que existen. También es extraordinariamente ligera y retiene muy bien el calor. Aquí se teje para confeccionar el gorro más sencillo de todos, ideal para llevarlo en el bolsillo y ponérselo cuando se quiera ir de incógnito.

TALLAS

Mediana (Grande).

MEDIDAS FINALES

Circunferencia: 48 (52) cm.

MUESTRA

16 p. y 22 v. = 10 cm a punto liso del der. con ag. circ. del n.º 7 (4,5 mm).
Hacer siempre la muestra.

GLOSARIO DE PUNTOS

Aum.: tejer el p. por delante y por detrás.

GORRO

Corona

Con ag. dp., montar 12 p., dejando un cabo largo para coser. Dividir los p. en 3 ag. Unir, cuidando de no retorcer los p. en las ag., y poner marc. al ppio. de la v.

1.ª v. y todas las v. impares del derecho.
2.ª v. *1 p. der., 1 aum. en el p. sig.; rep. desde * hasta el final = 18 p.
4.ª v. *2 p. der., 1 aum. en el p. sig.; rep. desde * hasta el final = 24 p.
6.ª v. *3 p. der., 1 aum. en el p. sig.; rep. desde * hasta el final = 30 p.
8.ª v. *4 p. der., 1 aum. en el p. sig.; rep. desde * hasta el final = 36 p.
10.ª v. *5 p. der., 1 aum. en el p. sig.; rep. desde * hasta el final = 42 p.
12.ª v. *6 p. der., 1 aum. en el p. sig.; rep. desde * hasta el final = 48 p.
14.ª v. *7 p. der., 1 aum. en el p. sig.; rep. desde * hasta el final = 54 p.
16.ª v. *8 p. der., 1 aum. en el p. sig.; rep. desde * hasta el final = 60 p.
Cont. haciendo 1 p. der. más antes del aum., cada dos vuetas, otras 6 (7) veces más, cambiando a la ag. circ. cuando haya demasiados p. en las ag. dp. = 96 (102) p. Hacer del derecho las 3 v. sig.

Forma de la copa

1.ª v. (mg.) *22 p. (23) der., 2 p. j. der., 22 p. (24) der., 2 p. j. der.; rep. desde * 1 vez más = 92 (98) p.
2.ª y 3.ª v. del derecho.
4.ª v. (mg.) *21 p. (22) der., 2 p. j. der., 21 p. (23) der., 2 p. j. der.; rep. desde * 1 vez más = 88 (94) p.
5.ª y 6.ª v. del derecho.
7.ª v. (mg.) *20 (21) p. der., 2 p. j. der., 20 (22) p. der., 2 p. j. der.; rep. desde * 1 vez más = 84 (90) p.
8.ª y 9.ª v. del derecho.
10.ª v. (mg.) *19 (20) p. der., 2 p. j. der., 19 (21) p. der., 2 p. j. der.; rep. desde * 1 vez más = 80 (86) p.
11.ª y 12.ª v. del derecho.
13.ª v. (mg.) *18 (19) p. der., 2 p. j. der., 18 (20) p. der., 2 p. j. der.; rep. desde * hasta el final = 76 (82) p.
14.ª a 23.ª v. del derecho.

Borde de cordón

Montar 3 p. en la aguja izq.
V. sig. *2 p. der., 2 p. j. der., pasar los 3 p. de la ag. dcha. a la ag. izq.; rep. desde * hasta el final. Cerrar los 3 últimos p. del der. Cortar la hebra, dejando un cabo largo para coser.

ACABADO

Enhebrar el cabo del ppio. en una aguja de tapicería. Pasar el cabo por la abertura en lo alto de la corona y tirar bien para cerrarla; rematar la hebra. Coser los extremos del cordón del borde.

Misterioso

MATERIALES

Lana

Chenille Thick & Quick de Lion Brand Yarn en madejas de 100 g y aprox. 90 m (acrílico/rayón)

- 1 madeja del n.º 99 chardonnay (crudo) (A)
- 1 madeja del n.º 107 periwinkle (azul) (B)

Agujas

- Aguja circular (ag. circ.) del n.º 11 (8 mm), de 40 cm de largo o del tamaño adecuado para la muestra
- Un juego de 4 agujas de doble punta (ag. dp.) del n.º 11 (8 mm)

Fornituras

- Marcador de puntos (marc.)

GORRO DE SHERPA A RAYAS

Un nuevo modelo, noble y espléndido, tejido con fibra de chenille. La chenille aporta al gorro una estructura que le permite quedar levantado, aunque también se le puede dejar caer como se desee. Las rayas le dan un aire exótico, un poco al estilo de la Venecia medieval y otro poco al estilo del Mali moderno, como prefiera. Se utilizan dos colores, llevando uno de ellos por detrás del otro; lo importante es mantener una tensión uniforme, también al cambiar de color.

TALLAS

Mediana (Grande).

MEDIDAS FINALES

Circunferencia: 51 (56) cm.

MUESTRA

12 p. y 16 v. = 10 cm en tejido de rayas con ag. circ. del n.º 11 (8 mm).
Hacer siempre la muestra.

NOTAS

Al cambiar de color, tomar la hebra del nuevo color por debajo del color anterior para evitar agujeros.
El color que no se utiliza se pasa sin tirar por el rev. de la labor.

DIBUJO DE RAYAS (múltiplo de 2 p.)

1.ª v. *1 p. der. con A, 1 p. der. con B; rep. desde * hasta el final.
Rep. la 1.ª v. para el dibujo de rayas.

GORRO

Copa

Con la ag. circ., montar: *1 p. con A, 1 p. con B; rep. desde * hasta tener 60 (66) p. en la ag. Unir, cuidando de no retorcer los p. en la ag., y poner marc. al ppio. de la v. Continuar con el dibujo de rayas hasta tener tejidos 20,5 cm.

Corona

1.ª v. (mg.) *con A 2 p. j. der., con B 2 p. j. der., tejer a rayas los 16 (18) p. sig.; rep. desde * 2 veces más = 54 (60) p.
2.ª v. (mg.) *con A 2 p. j. der., con B 2 p. j. der., tejer a rayas los 14 (16) p. sig.; rep. desde * 2 veces más = 48 (54) p.
3.ª v. (mg.) *con A 2 p. j. der., con B 2 p. j. der., tejer a rayas los 12 (14) p. sig.; rep. desde * 2 veces más = 42 (48) p. Cambiar a ag. dp.
4.ª v. (mg.) *con A 2 p. j. der., con B 2 p. j. der., tejer a rayas los 10 (12) p. sig.; rep. desde * 2 veces más = 36 (42) p. Tejer la v. sig. a rayas.
5.ª v. (mg.) *con A, 2 p. j. der., con B 2 p. j. der.; rep. desde * hasta el final = 18 (21) p. Cortar B.
6.ª v. (mg.) con A [2 p. j. der.] 9 (10) veces, 0 p. (1) der. = 9 (11) p. Cortar la hebra dejando un cabo de 20,5 cm. Enhebrarlo en una aguja de tapicería y pasar por los p. restantes. Tirar bien de la hebra y rematarla.

Digno

MATERIALES

Lana

Burley Spun de Brown Sheep Company, en madejas de 226 g y aprox. 119 m (lana):

- 1 madeja del n.º BS38 lotus pink (rosa) (A)
- 1 madeja del n.º BS39 periwinkle (B)

Lamb's Pride Bulky de Brown Sheep Company, en madejas de 113 g y aprox. 114 m (lana/mohair):

- 1 madeja del n.º M102 orchid thistle (C)
- 1 madeja n.º M83 frambuesa (E)

La Gan de Classic Elite Yarns, en ovillos de 42 g y aprox. 82 m (mohair/lana/nailon):

- 1 ovillo del n.º 61556 lila (D)

Agujas

- Dos agujas circulares (ag. circ.) del n.º 11 (8 mm) de 40 cm de largo o del tamaño adecuado para la muestra
- Un juego de 4 agujas de doble punta (ag. dp.) del n.º 4 (8 mm)

Fornituras

- Imperdibles
- Marcador de puntos (marc.)
- Compás con lápiz

GORRO CON OREJERAS

Aunque este gorro con orejeras es de inspiración nórdica, no cabe duda de que es digno de la princesa de *La Guerra de las Galaxias*. Las flores convertidas en fieltro (ideales para aprovechar restos de lana) se cosen con puntos de nudo en un color que haga contraste.

TALLAS

Mediana (Grande).

MEDIDAS FINALES

Circunferencia: 48 (54,5) cm.

MUESTRA

10 p. y 20 v. = 10 cm a punto liso, con ag. circ. del n.º 11 (8 mm) y A.
Hacer siempre la muestra.

GLOSARIO DE PUNTOS

Aum.: tejer el p. por delante y por detrás.

PUNTO DE ARROZ

(Múltiplo de 2 p.).
1.ª v. *1 p. der., 1 p. rev.; rep. desde * hasta el final.
2.ª v. Tejer del der. los p. del rev., y del rev. los p. del der.
Rep. siempre la 2.ª v. para el punto de arroz.

PUNTO DE MUSGO

1.ª v. del derecho.
2.ª v. del revés.
Repetir siempre las v. 1.ª y 2.ª en redondo.

GORRO

Corona

Con ag. dp. y A, montar 12 p., dejando un cabo largo para coser. Dividir los p. en 3 ag. Unir, cuidando de no retorcer los p. en las ag. Poner marc. al ppio. de la v.
1.ª v. y todas las v. impares del derecho.
2.ª v. *1 p. der., 1 aum. en el p. sig.; rep. desde * hasta el final = 18 p.
4.ª v. *2 p. der., 1 aum. en el p. sig.; rep. desde * hasta el final = 24 p.
6.ª v. *3 p. der., 1 aum. en el p. sig.; rep. desde * hasta el final = 30 p.
8.ª v. *4 p. der., 1 aum. en el p. sig.; rep. desde * hasta el final = 36 p.
Cont. haciendo 1 p. der. más cada vez, antes del aum., cada 2 v., otras 2 (3) veces = 48 (54) p. Cambiar a la ag. circ. Tejer del der. la v. sig.

Copa

Cont. tejiendo a p. de arroz hasta tener 17,5 cm desde arriba de la corona.

Borde

Cambiar a B. Seguir a p. liso der. durante 6 v.
V. sig. cerrar 6 p., 11 (13) p. der., pasar 12 (14) p. de la ag. dcha. a un imperdible, cerrar los 13 p. (15) sig., 11 (13) p. der., pasar 12 (14) p. de la ag. dcha. a un imperdible, cerrar el resto de los p.

Orejeras

Pasar a una ag. dp. los 12 (14) p. de un imperdible. Con B, trabajar ida y vuelta con 2 ag. dp. a p. de musgo durante 8 v.
V. sig. (mg.) 1 p. der., 2 p. j. der., del der. hasta los 3 últimos p., 2 p. j. der., 1 p. der. Rep. esta última v. 2 veces más. Cerrar los 6 (8) p. restantes al der. Rep. para la otra orejera.

APLICACIONES DE FLORES

(Hacer 2)
Con la ag. circ. y C y D juntos, montar 20 p. Trabajar ida y vuelta a p. liso del der. hasta tener 15 cm. Cerrar del der. sin apretar.

ACABADO

Enhebrar el cabo del ppio. en una aguja de tapicería. Pasarlo por la abertura de arriba de la corona y tirar bien para cerrarla. Rematar.
(Continúa en la página 90).

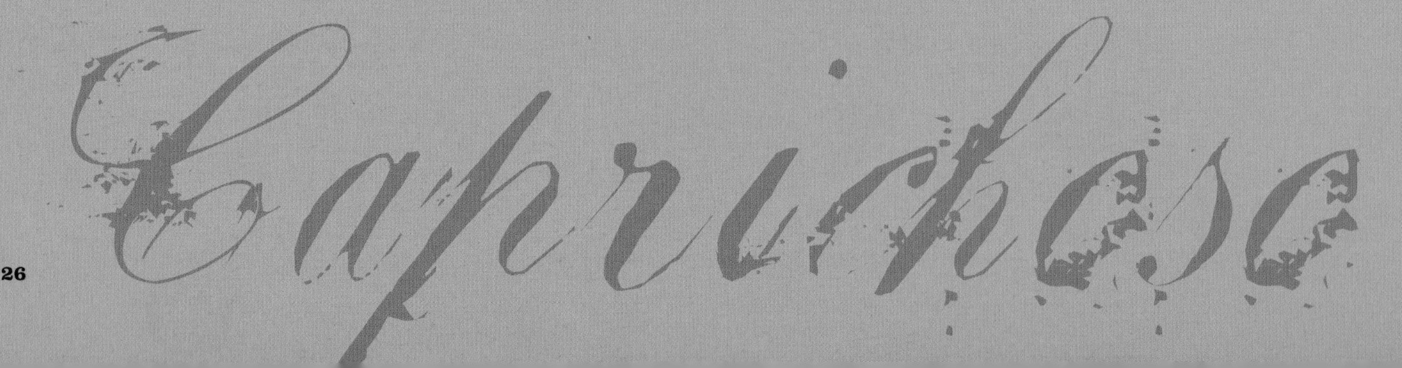

MATERIALES

Lana
Como, de Debbie Bliss/KFI, en ovillos de 50 g y aprox. 42 m (lana/cachemir)
- 4 ovillos del n.° 7 denim

Agujas
- Dos agujas circulares (ag. circ.) del n.° 10½ (6,5 mm), de 40 cm de largo o del tamaño adecuado para la muestra
- Un juego de 4 agujas de doble punta (ag. dp.) del n.° 10½ (6,5 mm)

Fornituras
- Marcador de puntos (marc.)

GORRO DE CUBO CON RELIEVE

Este gorro alto recuerda un turbante de médium o de una musa actual de Vermeer. Se teje rápidamente en redondo desde la corona hacia abajo y luego se trabaja ida y vuelta añadiendo puntos para la banda y para el detalle de la "mariposa". Pero eso ya lo sabías, ¿verdad?

TALLAS

Mediana (Grande).

MEDIDAS FINALES

Circunferencia: 51 (58,5) cm.

MUESTRA

1 p. y 18 v. = 10 cm a punto de musgo con ag. circ. del n.° 10½ (6,5 mm).
Hacer siempre la muestra.

GLOSARIO DE PUNTOS

Aum.: tejer el p. por delante y por detrás.

PUNTO CON RELIEVE DE MUSGO

(Múltiplo de 10 p.).
1.ª v. *4 p. der., 6 p. rev.; rep. desde * hasta el final.
2.ª a 4.ª v. del derecho.
5.ª v. *5 p. rev., 4 p. der., 1 p. rev.; rep. desde * hasta el final.
6.ª a 8.ª v. del derecho.
Rep. las v. 1.ª a 8.ª para el punto con relieve de musgo.

GORRO

Corona
Con ag. dp., montar 12 p., dejando un cabo largo para coser. Dividir los p. en 3 ag. Unir, cuidando de no retorcer los p. en las ag., y poner marc. al ppio. de la v.
1.ª y 2.ª v. del derecho.
3.ª v. [1 aum. en el p. sig.] 12 veces = 24 p.
4.ª a 6.ª v. del derecho.
7.ª v. [1 aum. en el p. sig.] 24 veces = 48 p.
8.ª a 10.ª v. del derecho.
12.º a 14.ª v. del derecho.
Para la talla grande sólo
15.ª v. *5 p. der., 1 aum. en el p. sig.; rep. desde * hasta el final = 70 p.
16.ª v. del derecho.
Para las dos tallas
Cambiar a ag. circ.
Copa
Rep. las v. 1.ª a 8.ª de relieve a punto de musgo, 5 veces.
Banda
Ahora se trabaja ida y vuelta, con 2 ag. circ.
1.ª v. [1 p. der., 1h.] 2 veces, der. hasta los 2 últimos p. [1h., 1p. der.] 2 veces = 64 (74) p.
2.ª v. del derecho. Rep. las 2 últimas v. 5 veces más. Cerrar del derecho sin apretar.

ACABADO

Enhebrar el cabo del ppio. en una aguja de tapicería. Pasar por la abertura en lo alto de la corona. Tirar bien de la hebra para cerrarla y rematar. Volver la banda hacia el dcho. En el borde doblado de la banda, sujetar los dos bordes con forma unidos por la base y pasar un hilván para fijarlos. Doblar la forma del lado dcho. hacia la dcha. y coser la punta sobre la banda. Doblar la forma del lado izq. hacia la izq. y coser la punta sobre la banda.

Reflexivo

MATERIALES

Lana
Chunky, de Misti Alpaca, en madejas de 100 g y aprox. 98 m (alpaca joven)
- 2 madejas del n.° 2L471 moulinette negro/gris

Agujas
- Aguja circular (ag. circ.) del n.° 11 (8 mm), de 40 cm de largo o del tamaño adecuado para la muestra
- Un juego de 4 agujas de doble punta (ag. dp.) del n.° 4 (8 mm)

Fornituras
- Marcador de puntos (marc.)
- 2 m de cordón de cuero rojo

CLOCHE DE TWEED

Retrocedamos en el tiempo hasta los locos años 20 con esta cloche de estilo retro. Quedará elegante tanto en el campo como en la ciudad. El cordón de cuero cortado añade un toque de color.

TALLAS

Mediana (Grande).

MEDIDAS FINALES

Circunferencia: 51 (56) cm.

MUESTRA

12 p. y 16 v. = 10 cm a punto liso del derecho, con ag. circ. del n.° 11 (8 mm).
Hacer siempre la muestra.

GLOSARIO DE PUNTOS

Aum.: tejer el p. por delante y por detrás.

GORRO

Corona
Con ag. dp., montar 12 p., dejando un cabo largo para coser. Dividir los p. en 3 ag. Unir, cuidando de no retorcer los p. en las ag., y poner marc. al ppio. de la v.
1.ª v. y todas las v. impares del derecho.
2.ª v. *1 p. der., 1 aum. en el p. sig.; rep. desde * hasta el final = 18 p.
4.ª v. *2 p. der., 1 aum. en p. sig.; rep. desde * hasta el final = 24 p.
6.ª v. *3 p. der., 1 aum. en el p. sig.; rep. desde * hasta el final = 30 p.
8.ª v. *4 p. der., 1 aum. en el p. sig.; rep. desde * hasta el final = 36 p.
10.ª v. *5 p. der., 1 aum. en el p. sig.; rep. desde * hasta el final = 42 p.
12.ª v. *6 p. der., 1 aum. en el p. sig.; rep. desde * hasta el final = 48 p.
14.ª v. *7 p. der., 1 aum. en el p. sig.; rep. desde * hasta el final = 54 p.
16.ª v. *8 p. der., 1 aum. en el p. sig.; rep. desde * hasta el final = 60 p.

Para la talla grande sólo
17.ª v. del derecho.
18.ª v. *9 p. der., 1 aum. en el p. sig.; rep. desde * hasta el final = 66 p.
Para las dos tallas
Cambiar a la ag. circ.
Copa
Cont. a p. liso del der. hasta que la pieza mida 19 (20,5) cm desde arriba de la corona.
Ala
V. sig. (aum.) *3 p. der., 1 aum. en el p. sig.; rep. desde * hasta terminar en 0 (2) p. der. = 75 (82) p.
Tejer del derecho las 8 v. sig.
V sig. (calados) *2 p. j. der., 1 h.; rep. desde * hasta terminar con 1 (0) p. der. Trabajar del derecho la v. sig.
V. sig. (mg.) *3 p. der., 2 p. j. der.; rep. desde * hasta terminar en 0 (2) p. der. = 60 (66) p. Cerrar del der. sin apretar; cortar la hebra dejando un cabo de 61 cm.

ACABADO

Enhebrar el cabo del ppio. en una aguja de tapicería. Pasar por la abertura en lo alto de la corona. Tirar bien y rematar la hebra. Doblar el ala 6,5 cm hacia el dcho. Con el cabo del final, coser el borde doblado del ala en los laterales del gorro. Doblar el cordón por la mitad formando una presilla. Empezando por el centro del dcho. del gorro, pasar por los calados las puntas del cordón. Para atarlo, pasar primero las puntas por la presilla y tirar de ellas para ajustar el gorro a la cabeza. Ahora, pasar las puntas bajo el cordón horizontal a la derecha de la presilla para que salgan por arriba. Llevar las puntas ahora hacia la dcha. y luego por debajo de ellas para que salgan hacia abajo. Apretar el nudo y recortar las puntas al largo deseado.

Nostálgico

MATERIALES

Lana
Cashsoft Aran, de Rowan/Westminster Fibers Inc., en ovillos de 50 g y aprox. 87 m (merino extrafino/microfibra acrílica/cachemir)

- 4 ovillos del n.º 1 avena (crudo)

Agujas

- Aguja circular (ag. circ.) del n.º 6 (4 mm) y 61 cm de largo o del tamaño adecuado para la muestra
- Aguja auxiliar (ag. aux.)

PAÑUELO CON ELÁSTICO DE OCHOS

Calma tu estrés y sosiégate con este sencillo pañuelo. Aunque quizá te apetezca tejer este diseño tradicional con punto calado, aquí el cuerpo está tejido a punto liso del derecho y bordeado con un delicado elástico de medios ochos.

TALLA
Única.

MEDIDAS FINALES
Aprox. 51 cm de ancho x 35,5 cm de largo (sin tiras de atar).

MUESTRA
18 p. y 24 v. = 10 cm a p. liso del der., con ag. circ. del n.º 6 (4 mm).
Hacer siempre la muestra.

GLOSARIO DE PUNTOS
Aum.: tejer el p. por delante y por detrás.
Cruce de 6 p. a la izq.: desl. 3 p. a ag. aux. por delante de la labor, 3 p. der., 3 p. der. de la ag. aux.

PAÑUELO
Con ag. circ., montar 4 p. Tejer ida y vuelta como sigue:
1.ª v. (der. lab.) del derecho.
2.ª v. y todas las v. del rev. lab. del revés.
3.ª v. 1 p. der., 1h., 1 p. der. hasta el último p., 1 h., 1 p. der. = 6 p. Repetir las v. 2.ª y 3.ª hasta tener 90 p. en la ag., terminar con 1 v. por el der. lab.
Tiras de atar
V. sig. (der. lab.) del derecho, montando 60 p. al final de la v. = 150 p.
V. sig. del revés, montando 60 p. al final de la v. = 210 p. Tejer a p. liso der. durante 8 v.
Borde delantero
1.ª v. (der. lab.) 1 p. der., *1 aum. en el p. sig.; rep. desde * hasta el final, terminando con 1p. der. = 418 p.
2.ª v. del revés.
3.ª v. del derecho.
4.ª v. del revés.
5.ª v. 2 p. der. *cruce de 6 p. a la izq.; rep. desde * hasta los 2 últimos p., 2 p. der.
6.ª v. del revés. Cerrar los puntos del derecho sin apretar.
Borde izquierdo
Por el der. lab. y la ag. circ., recoger y tejer del der. 108 p. espaciándolos por igual por el borde izquierdo del pañuelo desde el final de la tira de atar hasta el final de la punta de abajo. Tejer ida y vuelta como sigue:
1.ª v. (der. lab.) del revés.
2.ª v. 1 p. der., *1 aum. en el p. sig.; rep. desde * hasta el final, terminando con 1 p. der. = 214 p.
3.ª v. del revés.
4.ª v. del derecho.
5.ª v. del revés.
6.ª v. 2 p. der. *cruce de 6 p. a la izq.; rep. desde * hasta el final, terminando con 2 p. der.
7.ª v. del revés. Cerrar los p. del der. sin apretar.
Borde derecho
Por el der. lab. y la ag. circ., recoger y tejer del der. 108 p. espaciándolos por igual por el borde derecho del pañuelo desde la punta central hasta el final de la tira de atar. Cont. tejiendo igual que el borde izquierdo.

ACABADO
Coser los laterales de los bordes laterales uno con otro en la punta del centro. Dar unas puntadas en el pañuelo para que los bordes queden aplastados.

MATERIALES

Lana

Lamb's Pride Bulky, de Brown Sheep Company, en madejas de 113 g y aprox. 114 m (lana/mohair)

- 1 madeja del n.º M05 onyx (ónice) (A)
- 1 madeja del n.º M10 creme (crema) (B)
- 1 madeja del n.º M38 lotus pink (rosa) (C)
- 1 madeja del n.º M110 orange you glad (naranja) (D)

Agujas

- Aguja circular (ag. circ.) del n.º 10½ (6,5 mm) de 40 cm de largo o del tamaño adecuado para la muestra
- Un juego de 4 agujas de doble punto (ag. dp.) del n.º 10½ (6,5 mm)

Fornituras

- Marcador de puntos (marc.)

GORRO A PUNTO BARGELLO

Con su marcado dibujo y sus colores fuertes, este gorro es tan atractivo como tu sonrisa. Las aficionadas a la tapicería reconocerán el punto "bargello". Los colores alternos se tejen simplemente formando un dibujo que sólo es complicado en apariencia, empezando por la coronilla. Es también una manera estupenda de aprovechar restos de lana.

TALLAS

Mediana (Grande)

MEDIDAS FINALES

Circunferencia: 51 (57) cm.

MUESTRA

12 p. y 14 v. = 10 cm a punto liso der. con ag. circ. del n.º 10½ (6,5 mm).
Hacer siempre la muestra.

GLOSARIO DE PUNTOS

Aum.: tejer el p. por delante y por detrás.

GORRO

Corona

Con ag. dp. y A, montar 12 p., dejando un cabo largo para coser. Dividir los p. en 3 ag. Unir, cuidando de no retorcer los p. en las ag., poner marc. al ppio. de la v.

1.ª v. del derecho.
2.ª v. [1 aum. en el p. sig.] 12 veces = 24 p.
3.ª v. del derecho.
4.ª v. [1 aum. en el p. sig.] 24 veces = 48 p.
5.ª v. del derecho.
6.ª v. *3 p. der., 1 aum. en el p. sig.; rep. desde * hasta el final = 60 p.
7.ª v. del derecho.

Para la talla grande sólo

8.ª v. *6 p. der., 1 aum. en el p. sig.; rep. desde * hasta el final, terminando con 4 p. der. = 68 p.
9.ª v. del derecho.

Para las dos tallas

Cambiar a ag. circ.

Copa

Con B, tejer del derecho las 4 v. sig.
1.ª v. con C, *3 p. der., introducir la ag. dcha. en el p. sig. de 3 v. más abajo, h. y sacar una presilla, 1 p. der., pasar la presilla por encima del último p.; rep. desde * hasta el final.
2.ª a 4.ª v. con C, del derecho.
5.ª v. con A, *1 p. der., introducir la ag. dcha. en el p. sig. de 3 v. más abajo, h. y sacar una presilla, 1 p. der., pasar la presilla por encima del último p., 2 p. der.; rep. desde * hasta el final.
6.ª a 8.ª v. con A, del derecho.
9.ª a 12.ª v. con B, rep. las v. 1.ª a 4.ª
13.ª a 16.ª v. con D, rep. las v. 5.ª a 8.ª
17.ª a 20.ª v. con A, rep. las v. 1.ª a 4.ª
21.ª a 24.ª v. con B, rep. las v. 5.ª a 8.ª
25.ª a 28.ª v. con C, rep. las v. 1.ª a 4.ª
29.ª v. con A, rep. la 1.ª v.

Banda

Para la talla mediana sólo

V. sig. (aum.) con A, *5 p. der., 1 aum. en el p. sig.; rep. desde * hasta el final = 70 p.

Para la talla grande sólo

V. sig. (aum.) con A, *5 p. der., 1 aum. en el p. sig.; rep. desde * hasta el final, terminando con 4 p. der., 1 aum. en el p. sig. = 78 p.

Para las dos tallas

Con A, cont. haciendo elástico 1/1 durante 4 v. Cerrar a p. elástico sin apretar.

ACABADO

Enhebrar el cabo del ppio. en una aguja de tapicería. Pasar por la abertura de arriba de la corona, tirar bien y rematar la hebra.

MATERIALES

Lana

Glitterspun, de Lion Brand Yarn, en madejas de 50 g. y aprox. 105 m (acrílico/cupro/poliéster)

- 2 madejas del n.º 150 plata

Agujas

- Aguja circular (ag. circ.) del n.º 10 (6 mm) y 40 cm de largo o del tamaño adecuado para la muestra

Fornituras

- Marcador de puntos (marc.)
- 340 (360, 380) cuentas plateadas de 7 mm

BANDA CON FLECOS DE CUENTAS

Esta pícara banda sirve también de bufanda. Resulta espectacular tejida en color plata y con cuentas plateadas. Su estructura elástica no puede ser más sencilla, aunque lleva tiempo enfilar y atar los flecos de cuentas.

TALLAS

Mediana (Grande).

MEDIDAS FINALES

Circunferencia: 49,5 (54,5) cm.

MUESTRA

14 p. y 22 v. = 10 cm en punto elástico 2/2, con ag. circ. del n.º 10 (6 mm) y la hebra en doble (ligeramente estirada).
Hacer siempre la muestra.

NOTA

La hebra se trabaja siempre en doble.

GORRO

Con la ag. circ. y 2 hebras juntas, montar 68 (76) p. Unir, cuidando de no retorcer los p. en la ag., y poner marc. al ppio. de la v.
Hacer 2 p. der., 2 p. rev. durante 15 cm. Cerrar sin apretar a p. elástico.

FLECOS CON CUENTAS

Cortar 34 (38) h. de 30,5 cm. Enhebrar una en una aguja de tapicería. Por el dcho. del borde cerrado, pasar la aguja entre 2 p. del der. (o del rev.) y tirar de la hebra; sacar la aguja. Igualar los cabos de la hebra y atarlos con un nudo plano. Cont. así todo alrededor. Para cada par de hebras, enhebrar un cabo en la aguja de tapicería, enfilar 5 cuentas plateadas y sacar la aguja. Atar el extremo con un nudo triple para que no se salgan las cuentas. Rep. con el otro cabo. Cont. así todo alrededor.

MATERIALES

Lana

Mongolian Cashmere de 2 cabos de Jade Sapphire Exotic Fibres, en madejas de 55 g y aprox. 366 m

- 1 madeja del n.º 88 verdigris (azul verdoso)

Agujas

- Agujas circulares (ag. circ.) del n.º 2 y n.º 6 (2,75 y 4 mm), de 40 cm de largo o del tamaño adecuado para la muestra
- Un juego de 4 agujas de doble punta (ag. dp.) del n.º 6 (4 mm)

Fornituras

- Marcador de puntos (marc.)

BOINA DE CACHEMIR

Con esta boina de tejido fino y ligerísimo, te verás tan relajada y segura como el cachemir azul. El elástico extra-ancho y calado se ajusta a la cabeza, contrastando con la corona flexible y caída a punto de arroz, que le confiere un aspecto desenvuelto.

TALLAS

Mediana (Grande).

MEDIDAS FINALES

Circunferencia: 47 (50) cm.

MUESTRA

28 p. y 36 v. = 10 cm a p. de arroz, con la ag. circ. más gruesa.
Hacer siempre la muestra.

GLOSARIO DE PUNTOS

Aum.: tejer el p. por delante y por detrás.

ELÁSTICO DE OCHITOS CALADOS

(Múltiplo de 5 p.).
1.ª v. *2 p. der., 1 p. rev., 1 p. der. ret., 1 p. rev.; rep. desde * hasta el final.
2.ª v. *1 p. der., h., 1 p. der., 1 p. rev., 1 p. der. ret., 1 p. rev.; rep. desde * hasta el final.
3.ª v. *3 p. der., 1 p. rev., 1 p. der. ret., 1 p. rev.; rep. desde * hasta el final.
4.ª v. *3 p. der., pasar el 1.º de estos 3 p. de la ag. dcha. por encima de los 2 últimos p., 1 p. rev., 1 p. der. ret., 1 p. rev.; rep. desde * hasta el final.
Rep. las vueltas 1.ª a 4.ª para el elástico de ochitos calados.

PUNTO DE ARROZ

(Múltiplo de 2 p.).
1.ª v. *1 p. der., 1 p. rev.; rep. desde * hasta el final.
2.ª v. tejer del der. los p. del rev., y del rev. los p. del der.
Rep. la 2.ª v. para el p. de arroz.

GORRO

En la ag. circ. más fina, montar 135 (145) p. Unir, cuidando de no retorcer los p. en la ag., y poner marc. al ppio. de las v. Rep. 9 veces las v. 1.ª a 4.ª del elástico de ochitos calados.
V. sig. (aum.) *4 p. der., 1 aum. en el p. sig.; rep. desde * hasta el final = 162 (174) p. Cambiar a la ag. circ. más gruesa. Cont. a p. de arroz durante 15 cm.

Corona

1.ª v. *1 p. der., 2 p. j. der.; rep. desde * hasta el final = 135 (145) p. Cambiar a ag. dp.
2.ª v. *3 p. der., 2 p. j. der.; rep. desde * hasta el final = 108 (116) p.
3.ª v. *2 p. der., 2 p. j. der.; rep. desde * hasta el final = 81 (87) p.
4.ª v. *2 p. j. der.; rep. desde * hasta el final, terminando por 1 p. der. = 41 (44) p.
5.ª v. *2 p. j. der..; rep. desde * hasta el final, terminando por 1(0) p. der. = 21 (22) p. Cortar la hebra, dejando un cabo de 15,5 cm. Enhebrar en una aguja de tapicería y pasar por los p. restantes. Tirar bien y rematar la hebra.

MATERIALES

Lana
Sport Weight de Blue Sky Alpacas, en madejas de 50 g y aprox. 100 m (bebé alpaca)
- 1 madeja del n.º 507 gris claro natural (A)
- 1 madeja del n.º 508 gris intermedio natural (B)
- 1 madeja del n.º 509 gris oscuro natural (C)

Agujas
- Aguja circular (ag. circ.) del n.º 4 (3,5 mm) y 40 cm de largo o del tamaño adecuado para la muestra
- Un juego de 4 agujas de doble punta (ag. dp.) del n.º 4 (3,5 mm)

Fornituras
- Marcador de puntos (marc.)

GORRO AJUSTADO DE RAYAS

Sencillo y práctico. Forma simple, lana de alpaca supersuave, un dibujo de rayas en relieve, superficie con textura. Muy sutil, muy chic y perfecto para una joven formal.

TALLAS

Mediana (Grande).

MEDIDAS FINALES

Circunferencia: 49 (53,5) cm.

MUESTRA

20 p. y 32 v. = 10 cm a punto elástico interrumpido (ligeramente estirado), con ag. circ. del n.º 4 (3,5 mm).
Hacer siempre la muestra.

ELÁSTICO INTERRUMPIDO Y RAYAS

(Múltiplo de 4 p.)
1.ª v. con A, del derecho.
2.ª v. con A, *2 p. der., 2 p. rev.; rep. desde * hasta el final.
3.ª v. con B, del derecho.
4.ª v. con B, *2 p. der., 2 p. rev.; rep. desde * hasta el final.
5.ª v. con C, del derecho.
6.ª v. con C, *2 p. der., 2 p. rev.; rep. desde * hasta el final.
Rep. las v. 1.ª a 6.ª para el elástico interrumpido y rayas.

GORRO

Con la ag. circ. y A, montar 96 (104) p. Unir, cuidando de no retorcer los p. en la ag. y poner marc. en el ppio. de las v. Trabajar a punto de elástico interrumpido y rayas hasta que la pieza mida 20,5 cm.

Corona
Cont. el dibujo de rayas, tejiendo como sigue:
1.ª v. *2 p. j. der.; rep. desde * hasta el final = 48 (52) p.
2.ª v. del derecho.
3.ª v. *2 p. j. der.; rep. desde * hasta el final = 24 (26) p.
4.ª v. del derecho.
5.ª v. *2 p. j. der.; rep. desde * hasta el final = 12 (13) p.
6.ª v. del derecho. Cortar la hebra dejando un cabo de 15,5 cm. Enhebrarlo en una aguja de tapicería y pasar por los p. restantes. Tirar bien y rematar la hebra.

Práctico

MATERIALES

Lana
Angora Schulana de Schulana/Skacel Collection, Inc., en ovillos de 10 g y aprox. 25 m (angora)
- 10 ovillos del n.º 93 naranja

Agujas
- Aguja circular (ag. circ.) del n.º 7 (4,5 mm) y 40 cm de largo o del tamaño adecuado para la muestra
- Un juego de 4 agujas de doble punta (ag. dp.) del n.º 7 (4,5 mm)

Fornituras
- Marcador de puntos (marc.)

GORRO EXTRASUAVE

Para sentarse con un buen libro llevando este gorro de angora, extragrande, extrasuave y lujoso.

TALLAS
Mediana (Grande).

MEDIDAS FINALES
Circunferencia: 48 (56) cm.

MUESTRA
14 p. y 24 v. = 10 cm a punto liso del derecho con ag. circ. del n.º 7 (4,5 mm) y con la hebra en doble.
Hacer siempre la muestra.

NOTA
Utilizar siempre 2 hebras de lana.

GLOSARIO DE PUNTOS
Aum.: tejer el p. por delante y por detrás.

GORRO
Corona
Con ag. dp. y 2 hebras de lana juntas, montar 12 p., dejando un cabo largo para coser. Dividir los p. en 3 ag. Unir, cuidando de no retorcer los p. en las ag., y poner marc. al ppio. de las v.
1.ª v. y todas las v. impares del derecho.
2.ª v. *1 p. der., 1 aum. en el p. sig.; rep. desde * hasta el final = 18 p.
4.ª v. *2 p. der., 1 aum. en el p. sig.; rep. desde * hasta el final = 24 p.
6.ª v. *3 p. der., 1 aum. en el p. sig.; rep. desde * hasta el final = 30 p.
8.ª v. *4 p. der., 1 aum. en el p. sig.; rep. desde * hasta el final = 36 p.
10.ª v. *5 p. der., 1 aum. en el p. sig.; rep. desde * hasta el final = 42 p.
Cont. tejiendo 1 p. der. más antes del aum., cada 2 v., otras 7 (9) veces más = 84 (96) p. Cambiar a la ag. circ.
Formar la copa
1.ª v. y todas las v impares del derecho.
2.ª v. *12 (14) p. der., 2 p. j. der.; rep. desde * hasta el final = 78 (90) p.
4.ª v. *11 (13) p. der., 2 p. j. der.; rep. desde * hasta el final = 72 (84) p.
6.ª v. *10 (12) p. der., 2 p. j. der.; rep. desde * hasta el final = 66 (78) p.
Trabajar a p. liso durante 14 (12,5) cm.
Banda
Trabajar a elástico 1 p. der./1 p. rev., durante 15 cm. Cerrar a punto de elástico.

ACABADO
Enhebrar el cabo del ppio. en una aguja de tapicería. Pasar por la abertura en lo alto de la corona. Tirar bien para cerrarla y rematar la hebra.

Literario

THE CIVILIZED
SHOPPER'S GUIDE
TO

MATERIALES

Lana

Berkshire Bulky de Valley Yarns, en madejas de 100 g y aprox. 99 m (lana/alpaca)

- 1 madeja del n.º 19 fucsia (A)
- 1 madeja del n.º 22 amatista (B)
- 1 madeja del n.º 20 ciruela (C)

Agujas

- Aguja circular (ag. circ.) del n.º 10½ (6,5 mm) de 40 cm de largo o del tamaño adecuado para la muestra
- Un juego de 4 agujas de doble punta (ag. dp.) del n.º 10½ (6,5 mm)

Fornituras

- Marcador de puntos (marc.)

GORRO DE RAYAS CON CALADOS

Este gorro tan sencillo como alegre es perfecto para una joven activa. Se teje con varios colores a tono desde la corona hacia abajo con picotes calados. El cuerpo del gorro es el de una boina modificada, terminando en una banda vuelta, asimétrica.

TALLA

Única.

MEDIDAS FINALES

Circunferencia: 51 cm.

MUESTRA

12 p. y 20 v. = 10 cm en dibujo de calados con ag. circ. del n.º 10½ (6,5 mm).

Hacer siempre la muestra.

GLOSARIO DE PUNTOS

Aum.: tejer el p. por delante y por detrás.

DIBUJO DE CALADOS

1.ª a 3.ª v. del derecho.
4.ª v. del revés.
5.ª v. *2 p. j. der., h.; rep. desde * hasta el final.
6.ª v. del revés.
Rep. las v. 1.ª a 3.ª para el dibujo de calados.

GORRO

Corona

Con ag. dp. y A, montar 10 p., dejando un cabo largo para coser. Dividir los p. entre 3 ag. Unir cuidando de no retorcer los p. en las ag., y poner marc. al ppio. de la v.
1.ª v. del derecho.
2.ª v. [1 aum. en el p. sig.] 10 veces = 20 p.
3.ª v. del derecho. Cambiar a B.
4.ª v. del revés.
5.ª v. *2 p. j. der. h.; rep. desde * hasta el final.
6.ª v. del revés. Cambiar a A.
7.ª v. del derecho.
8.ª v. *1 p. der., 1 aum. en el p. sig.; rep. desde * hasta el final = 30 p.
9.ª v. del derecho. Cambiar a C.
10.ª a 12.ª v. rep. las v. 4.ª a 8.ª Cambiar a A.
13.ª v. del derecho.
14.ª v. *2 p. der., 1 aum. en el p. sig.; rep. desde * hasta el final = 40 p.
15.ª v. del derecho. Cambiar a B.
16.ª a 18.ª v. rep. las v. 4.ª a 6.ª Cambiar a A.
19.ª v. del derecho.
20.ª v. *3 p. der., 1 aum. en el p. sig.; rep. desde * hasta el final = 50 p. Cambiar a ag. circ.
21.ª v. del derecho. Cambiar a C.
22.ª a 24.ª v. rep. las v. 4.ª a 6.ª Cambiar a A.
25.ª v. del derecho.
26.ª v. *4 p. der., 1 aum. en el p. sig.; rep. desde * hasta el final = 60 p.
27.ª v. del derecho. Cambiar a B.

Copa

28.ª a 30.ª v. rep. las v. 4.ª a 6.ª Cambiar a A.
31.ª v. del derecho.
32.ª v. *5 p. der., 1 aum. en el p. sig.; rep. desde * hasta el final = 70 p.
33.ª v. del derecho. Cambiar a C.
34.ª a 36.ª v. rep. las v. 4.ª a 6.ª Cambiar a A.
37.ª v. del derecho.
38.ª v. *6 p. der., 1 aum. en el p. sig.; rep. desde * hasta el final = 80 p.
39.ª v. del derecho. Cambiar a B.
40.ª a 42.ª v. rep. las v. 4.ª a 6.ª Cambiar a A.
43.ª a 45.ª v. del derecho. Cambiar a C.
46.ª a 48.ª v. rep. las v. 4.ª a 6.ª Cambiar a A.
49.ª v. del derecho.
50.ª v. *6 p. der., 2 p. j. der.; rep. desde * hasta el final = 70 p.
51.ª v. del derecho. Cambiar a B.
52.ª a 54.ª v. rep. las v. 4.ª a 6.ª Cambiar a A.
55.ª v. del derecho.
56.ª v. *5 p. der., 2 p. j. der.; rep. desde * hasta el final = 60 p.
57.ª v. del derecho.

Banda

Con A solamente, cont. así:
1.ª y 2.ª v. *1 p. der., 1 p. rev.; rep. desde * hasta el final.
3.ª v. tejer 48 p. a elástico 1/1; volver.
(Continúa en la página 90).

Enérgico

MATERIALES

Lana
Ultra Alpaca de Berroco, Inc., en madejas de 100 g y aprox. 198 m (alpaca superfina/lana del altiplano peruano)
- 1 madeja del n.º 6257 chambray (A)
- 1 madeja del n.º 6233 rose spice (rosa) (B)
- 1 madeja del n.º 6291 yucca mix (C)
- 1 madeja del n.º 6236 chianti (D)
- 1 madeja del n.º 6234 cardinal (E)
- 1 madeja del n.º 6240 blue violet (F)
- 1 madeja del n.º 6294 turquoise mix (G)

Agujas
- 2 agujas circulares (ag. circ.) del n.º 6 (4 mm) y de 40 cm de largo, o del tamaño adecuado para la muestra
- Un juego de 4 agujas de doble punta (ag. dp.) del n.º 6 (4 mm)

Fornituras
- Marcador de puntos (marc.)

GORRO CON POMPÓN

La variedad de colores, el vistoso pompón y la divertida vuelta hacen que el gorro parezca listo para entrar en acción, para esquiar ladera abajo o para corretear por la ciudad. Si te gusta el colorido, el tejido Fair Isle es lo que te va. Te maravillará la armonía de sus colores.

TALLAS
Mediana (Grande).

MEDIDAS FINALES
Circunferencia: 45,5 (49) cm.

MUESTRAS
23 p. y 26 v. = 10 cm a p. liso derecho y siguiendo los dibujos de los diagramas con ag. circ. del n.º 6 (4 mm).
24 p. y 28 v. = 10 cm, en elástico 2 p. der./2 p. rev. (ligeramente estirado) con ag. circ. del n.º 6 (4 mm).
Hacer siempre la muestra.

NOTAS
Al cambiar de color, tomar el nuevo color por debajo del color anterior para evitar agujeros.
El color que no se utiliza se lleva sin tirar por el rev. de la labor.

GLOSARIO DE PUNTOS
Aum.: tejer el p. por delante y por detrás.

GORRO

Corona
Con ag. dp. y A, montar 12 p. dejando un cabo largo para coser. Dividir los p. entre 3 ag. Unir, cuidando de no retorcer los p. en las ag., y poner marc. al ppio. de la v.
3 v. sig. del derecho.
V. sig. (aum.) *2 p. der., 1 aum. en el p. sig.; rep. desde * hasta el final = 16 p.
V. sig. del derecho.
Empezar el gráfico I (ver página 91).
1.ª v. tejer 4 p. dib., rep. 4 veces. Cont. siguiendo el gráfico hasta la 2.ª v.
Cont. con A de este modo:
V. sig. del derecho.
V. sig. (aum.) *1 p. der., 1 aum. en el p. sig.; rep. desde * hasta el final = 24 p.
V. sig. del derecho.
Empezar el gráfico II
1.ª v. tejer 4 p. dib., rep. 6 veces. Cont. siguiendo el gráfico hasta la 3.ª v.
Cont. con A de este modo:
V. sig. del derecho.
V. sig. (aum.) *1 p. der., 1 aum. en el p. sig.; rep. desde * hasta el final = 36 p.
V. sig. del derecho.
Empezar el gráfico III
1.ª v. tejer 4 p. dib., rep. 9 veces. Cont. siguiendo el gráfico hasta la 3.ª v.
Cont. con A de este modo:
V. sig. del derecho.
V. sig. (aum.) *2 p. der., 1 aum. en el p. sig.; rep. desde * hasta el final = 48 p.
V. sig. del derecho.
Empezar el gráfico IV
1.ª v. tejer 8 p. dib., rep. 6 veces. Cont. siguiendo el gráfico hasta la 4.ª v.
Cont. con A de este modo:
V. sig. del derecho.
V. sig. (aum.) *3 p. der., 1 aum. en el p. sig.; rep. desde * hasta el final = 60 p.
V. sig. del derecho.
Empezar el gráfico V
1.ª v. tejer 4 p. dib., rep. 15 veces. Cont. siguiendo el gráfico hasta la 4.ª v. Cont. con A de este modo:
V. sig. del derecho.
V. sig. (aum.) *4 p. der., 1 aum. en el p. sig.; rep. desde * hasta el final = 72 p.
V. sig del derecho.
(Continúa en la página 91).

MATERIALES

Lana

Bulky, de Blue Sky Alpacas, en ovillos de 100 g y aprox. 41 m (alpaca/lana)

- 3 ovillos del n.º 1104 polar bear (blanco)

Agujas

- Un par de agujas del n.º 15 (10 mm) o del tamaño adecuado para la muestra
- 2 agujas de doble punta (ag. dp.) del n.º 15 (10 mm) para el cordón

CAPUCHA ATADA

Esta capucha terminada en pico es perfecta para una reina de las nieves de Narnia, pero ¿quién no querría atársela al cuello cuando sopla el viento frío? Un cordón redondo pasado por el borde hace de este gorro una prenda muy abrigada.

TALLA

Única.

MEDIDAS FINALES

Aprox. 21,5 cm de fondo x 28 cm de altura (sin cordón).

MUESTRA

8 p. y 12 v. = 10 cm a punto liso con ag. circ. del n.º 15 (10 mm).
Hacer siempre la muestra.

NOTA

El gorro se empieza por el frente y se termina por detrás (con una costura).

GLOSARIO DE PUNTOS

Cerrar con tres agujas
Sostener las dos agujas paralelas, poniendo la labor derecho con derecho. Introducir la 3.ª aguja del derecho en el primer p. de cada aguja. Echar la hebra normalmente.
Tejer esos 2 p. juntos y sacarlos de las agujas. *Tejer los 2 p. sig. juntos de igual manera.
Deslizar el primer p. de la 3.ª aguja por encima del 2.º y sacarlo. Rep. desde * del paso 2 hasta que todos los p. estén cerrados.

GORRO

Se empieza por el borde delantero.
Montar 40 p.
1.ª v. (der. lab.) del derecho.
2.ª v. del revés.
3.ª v. del derecho.
4.ª v. del revés, montando 4 p. al final de la v. = 44 p.
5.ª v. del derecho, montando 4 p. al final de la v. = 48 p.
6.ª v. del revés.
7.ª v. (calados) 2 p. der., h., 2 p. j. der., [3 p. der., 3 p. rev.] 6 veces, 3 p. der., 1 p. rev., desl. 2 p. + 1 p. der., h., 2 p. der.
8.ª v. del der. los p. der. y del rev. los p. rev.
9.ª v. 4 p. der., 1 p. rev., [3 p. der., 3 p. rev.] 6 veces, 7 p. der.
10.ª v. rep. la 8.ª v.
11.ª v. 4 p. der., 2 p. rev.. [3 p. der., 3 p. rev.] 6 veces, 6 p. der.
12.ª v. rep. la 8.ª v.
13.ª v. (calados) 2 p. der., h., 2 p. j. der., [3 p. rev., 3 p. der.] 6 veces, 3 p. rev., 1 p. der., desl. 2 p. + 1 p. der., h., 2 p. der.
14.ª v. rep. la 8.ª v.
15.ª v. 5 p. der., [3 p. rev., 3 p. der.] 6 veces, 3 p. rev., 4 p. der.
16.ª v. rep. la 8.ª v.
17.ª v. 6 p. der., [3 p. rev., 3 p. der.] 6 veces, 2 p. rev., 4 p. der.
18.ª v. rep. la 8.ª v.
Rep. las v. 7.ª a 18.ª una vez más.
Pasar los 24 primeros p. a la 1.ª ag., y dejar los otros 24 p. en la 2.ª ag.
Con ag. dp. de 3.ª ag, cerrar con 3 ag.

CORDÓN

Con ag. dp., montar 3 p., dejando un cabo largo para coser. Tejer en cordón de este modo:
***V. sig. (der. lab.)** Con 2 ag. dp., 3 p. der., no girar. Desl. los p. a la ag. anterior para hacer la v. sig. por el der. lab.; rep. desde * hasta tener un cordón de 91,5 cm de largo. Cortar la hebra dejando un cabo de 15,5 cm. Enhebrar el cabo en una aguja de tapicería y pasarlo por los p. restantes. Tirar bien y rematar la hebra. Enhebrar el cabo del ppio. en la aguja de tapicería, pasar por la abertura del ppio. del cordón. Tirar bien para cerrar y rematar. Pasar el cordón por los calados.

Austero

MATERIALES

Lana
Creative Focus Chunky de Nashua Handknits/Westminster Fibers, Inc., en ovillos de 100 g y aprox. 100 m (lana/alpaca)
- 2 ovillos del n.° 410 níquel (A)

La Grand de Classic Elite Yarns, en ovillos de 42 g y aprox. 82 m (mohair/lana/nailon)
- 2 ovillos del n.° 6539 verde eucalipto (B)

Kidsilk Haze de Rowan/Westminster Fibers, Inc., en ovillos de 25 g y aprox. 210 m (super mohair de cabrito/seda)
- 1 ovillo del n.° 588 gris (C)
- 1 ovillo del n.° 592 celeste (D)

Agujas
- Agujas circulares (ag. circ.) del n.° 10½ (6,5 mm) de 40 cm y de 61 cm de largo o del tamaño adecuado para la muestra.
- Un juego de 4 agujas de doble punta (ag. dp.) del n.° 10½ (6,5 mm)
- Aguja circular (ag. circ.) del n.° 6 (4 mm) de 61 cm de largo o del tamaño adecuado para la muestra

Fornituras
- Marcador de puntos (marc.)

GORRO CON BUFANDA
Aunque este gorro habría hecho desmayar a Heathcliff aún más si hubiera visto a Catherine con él, resulta igualmente elegante en las calles de Nueva York con un abrigo o capa a juego.

TALLAS
Mediana (Grande).

MEDIDAS FINALES
Gorro
Circunferencia: 56 (61) cm.
Bufanda
Aprox. 132 cm de largo x 16,5 cm de ancho.

MUESTRAS
9 p. y 22 v. = 10 cm a punto liso derecho con la ag. circ. mayor y lanas A y B juntas (antes de hacerlas fieltro).
14 p. y 34 v. = 10 cm a punto de musgo con la ag. circ. pequeña y C (o D). **Hacer siempre la muestra.**

GLOSARIO DE PUNTOS
Aum.: tejer el p. por delante y por detrás.

GORRO
Corona
Con ag. dp. y A y B juntas, montar 12 p., dejando cabos largos para coser. Dividir los p. en 3 ag. Unir, cuidando de no retorcer los p. en las ag., y poner marc. al ppio. de la v.
1.ª v. y todas las v. impares del derecho.
2.ª v. *1 p. der., 1 aum. en el p. sig.; rep. desde * hasta el final = 18 p.
4.ª v. *2 p. der., 1 aum. en el p. sig.; rep. desde * hasta el final = 24 p.
6.ª v. *3 p. der., 1 aum. en el p. sig.; rep. desde * hasta el final = 30 p.
8.ª v. *4 p. der., 1 aum. en el p. sig.; rep. desde * hasta el final = 36 p.
Cont. haciendo 1 p. der. más antes del aum., cada 2 v., otras 4 (5) veces más = 60 (66) p. Tejer del der. la v. sig. Cambiar a la ag. circ. corta.
Copa
Cont. a p. liso hasta que la pieza mida 23 (25,5) cm desde el ppio.
Ala
Cambiar a la ag. circ. larga.
Dejar B y cont. sólo con A de este modo:
V. sig. (aum.) *1 p. der., 1 aum. en el p. sig.; rep. desde * hasta el final = 90 (99) p. Tejer del der. 6 v. sig. Cerrar los p. sin apretar.

BUFANDA
Con la ag. circ. corta y C, montar 190 p. sin apretar. Trabajar ida y vuelta a p. de musgo durante 8 cm desde el ppio. Cambiar a D. Cont. a p. de musgo 8 cm. Cerrar del der. sin apretar.

ACABADO
Enhebrar los cabos del ppio. en una aguja de tapicería. Pasar por la abertura en lo alto de la corona. Tirar bien y rematar las hebras.
Fieltro
Introducir el gorro en la lavadora y lavar con agua caliente, en nivel de agua bajo, introduciendo también unos vaqueros para que froten y equilibren la agitación. Añadir 1 cucharada de detergente y ¼ de taza de bicarbonato al ppio. del ciclo de lavado. Repetir el ciclo, si fuera necesario, para que el gorro quede apelmazado y encogido a la medida final. Darle forma con las manos, enrollando el ala hacia arriba. Dejarlo secar al aire. Con tijeras muy afiladas, hacer una ranura horizontal de 2,5 cm a cada lado del gorro (encima de las orejas), justo donde empieza el ala. Pasar las puntas de la bufanda por las ranuras.

MATERIALES

Lana

Bulky de Blue Sky Alpacas, en madejas de 100 g y unos 41 m (alpaca/lana)

- 1 madeja del n.º 1009 bobcat (beige)
- 2 madejas del n.º 1006 brown bear (marrón)

Agujas

- 2 agujas circulares (ag. circ.) del n.º 11 (8 mm) de 40 cm de largo o del tamaño adecuado para la muestra
- Un juego de 4 agujas de doble punta (ag. dp.) del n.º 11 (8 mm)

Fornituras

- Marcador de puntos (marc.)

GORRO DE LEÑADOR

No es el gorro de tu hermano, pero podría serlo. Para tu lado masculino ¿qué podría ser más práctico y cómodo de hacer y de llevar que este gorro con alas?

TALLA

Única.

MEDIDAS FINALES

Circunferencia: 54,5 cm.

MUESTRA

10 p. y 14 v. = 10 cm a punto liso con ag. circ. del n.º 11 (8 mm).
Hacer siempre la muestra.

GLOSARIO DE PUNTOS

Aum.: tejer el p. por delante y por detrás.

PUNTO DE MUSGO

1.ª v. del derecho.
2.ª v. del revés.
Rep las v. 1.ª y 2.ª para el punto de musgo en redondo.

GORRO

Corona

Con ag. dp. y A, montar 12 p., dejando un cabo largo para coser. Dividir los p. en 3 ag. Unir, cuidando de no retorcer los p. en las ag., y poner marc. al ppio. de la v.
1.ª v. y todas las v. impares del derecho.
2.ª v. *1 p. der., 1 aum. en el p. sig.; rep. desde * hasta el final = 18 p.
4.ª v. *2 p. der., 1 aum. en el p. sig.; rep. desde * hasta el final = 24 p.
6.ª v. *3 p. der., 1 aum. en el p. sig.; rep. desde * hasta el final = 30 p.
8.ª v. *4 p. der., 1 aum. en el p. sig.; rep. desde * hasta el final = 36 p.
10.ª v. *5 p. der., 1 aum. en el p. sig.; rep. desde * hasta el final = 42 p.
12.ª v. *6 p. der., 1 aum. en el p. sig.; rep. desde * hasta el final = 48 p.
14.ª v. *7 p. der., 1 aum. en el p. sig.; rep. desde * hasta el final = 54 p.
Cambiar a ag. circ.

Copa

Cont. a p. liso hasta que la pieza mida 17,5 cm desde arriba de la corona.

Banda

Cambiar a B. Cont. a p. de musgo durante 12 v.

Ala delantera

V. sig. con ag. dp, tejer del der. los primeros 16 p., dejar los 38 p. restantes en la ag. circ. Con 2 ag. dp., trabajar ida y vuelta a p. de musgo durante 18 v. Cerrar sin apretar del derecho.

Ala trasera

V. sig. por el der. lab., unir B.
Con 2 ag. circ., trabajar ida y vuelta a p. de musgo durante 14 v. Cerrar sin apretar del derecho.

ACABADO

Enhebrar el cabo del ppio. en una aguja de tapicería. Pasar por la abertura en lo alto de la corona. Tirar bien y rematar la hebra. Doblar hacia arriba sobre el der. lab. las alas, por la 6.ª v. de musgo.
Dar unas puntadas en las esquinas del ala delantera para sujetarlas al gorro.

Prosaico

MATERIALES

Lana

Zara Plus de Filatura Di Crosa (Tahki-Stacy Charles, Inc.), en ovilos de 50 g y aprox. 70 m (lana merino extrafina)

- 2 (3) ovillos del n.º 26 rojo (A)
- 1 (2) ovillos del n.º 418 morado (B)

Agujas

- 2 agujas circulares (ag. circ.) del n.º 7 (4,5 mm) de 40 cm de largo o del tamaño adecuado para la muestra
- Aguja circular (ag. circ.) del n.º 7 (4,5 mm) de 61 cm de largo
- Un juego de 4 agujas de doble punta (ag. dp.) del n.º 7 (4,5 mm)

Fornituras

- Marcador de puntos (marc.)

GORRO CON RELIEVE

Una atrevida combinación de colores para una personalidad fuerte. Las rayas en relieve tradicionales habrían resultado infantiles, por eso se han sustituido por un adorno más marcado, a "ondas". Cada "onda" se teje por separado y se realza con un color contrastado y luego se teje con la base del gorro.

TALLAS

Mediana (Grande).

MEDIDAS FINALES

Circunferencia: 49,5 (56) cm.

MUESTRA

17 p. y 20 v. = 10 cm a punto liso con ag. circ. del n.º 7 (4,5 mm).
Hacer siempre la muestra.

GORRO

Con la ag. circ. larga y B, montar 168 (188) p., dejando un cabo largo para coser. Cambiar a una ag. circ. corta y A.
V. sig. *2 p. j. der. ret.; rep. desde * hasta el final = 84 (94) p. Unir, cuidando de no retorcer los p. en la ag., y poner marc. al ppio. de la v. Tejer del der. las 6 v. sig. No cortar A, dejarla.
****Hacer la raya en relieve**
Con la ag. circ. larga y B, montar 168 (188) p., dejando un cabo largo para coser. Cambiar a una ag. circ. corta y A.
V. sig. *2 p. j. der. ret.; rep. desde * hasta el final = 84 (94) p. Unir, cuidando de no retorcer los p. en la ag., y poner marc. al ppio. de la v. Tejer del der. las 2 v. sig. Cortar A.
Unir la raya en relieve al gorro
Poner la raya en relieve encima del gorro, con las ag. paralelas.
V. sig. (de unión) tejer del der. el 1.er p. de cada ag. juntos, cont. tejiendo 2 p. j. der. hasta el final = 84 (94) p. Con A, tejer del der. las 4 v. sig. Rep. desde ** (hacer la raya en relieve) otras 5 veces, tejiendo del der. sólo 2 v. después de unir la última raya en relieve.
Corona
Hacer elástico 1 p. der./1 p. rev. durante 10 (14) v. Cambiar a ag. dp.
V. sig. (mg.) *2 p. j. der. ret.; rep. desde * hasta el final = 42 (48) p. Tejer del der. 3 (4) v. Rep. una vez más las últimas 4 (5) v. = 21 (24) p. Tejer del der. 3 (4) v.
V. sig. (mg.) *2 p. j. der. ret; rep. desde * hasta el final, terminando por 1 (0) p. der. = 11 (12) p. Cortar la hebra, dejando un cabo de 15,5 cm. Enhebrarlo en una aguja de tapicería y pasar por los p. restantes. Tirar bien y rematar la hebra.

ACABADO

Coser uno con otro los bordes laterales de los p. montados en B.

Confiado

MATERIALES

Lana

Swirl Chunky de Lorna's Laces, en madejas de 113 g y aprox. 110 m (merino/seda)

- 3 madejas del n.º 308 huron

Agujas

- 3 agujas circulares (ag. circ.) del n.º 10½ (6,5 mm) de 40, 60 y 70 cm de largo o del tamaño adecuado para la muestra
- Un juego de 4 agujas de doble punta (ag. dp.) del n.º 10½ (6,5 mm)

Fornituras

- Marcador de puntos (marc.)
- 1 botón de 50 mm

CASCO A PUNTO DE PRESILLA

Este diseño bien puede inspirarse en los gorros de baño de los años 1960 con sus presillas, hojas, flores y aplicaciones, pero este modelo arriesgado y moderno es más propio de una guerrera urbana que de una hermosa sirena. La textura del "punto de presilla" suaviza el efecto y añade un toque de humor.

TALLAS

Mediana (Grande).

MEDIDAS FINALES

Circunferencia: 49,5 (56) cm.

MUESTRA

11 p. y 16 v. = 10 cm a p. de presilla con ag. circ. del n.º 10½ (6,5 mm) y con la hebra doble.

Hacer siempre la muestra.

NOTA

Se trabaja siempre con la hebra doble. La banda y la copa del gorro se trabajan por el rev. lab. La corona se trabaja por el der. lab.

GLOSARIO DE PUNTOS

Hacer presilla (pres.) Tejer del der. el p. sig. pero, sin sacarlo de la ag. izda., pasar la hebra hacia delante entre las ag. y enrollarla sobre el pulgar. Llevar la hebra hacia atrás entre las ag. y tejer del der. el mismo p. otra vez ret., deslizando el p. de la ag. izq. Pasar el 2.º p. de la ag. dcha. por encima del primer p.

PUNTO DE PRESILLA

1.ª v. (der. lab.) *pres. en el p. sig.; rep. desde * hasta el final.
2.ª v. (der. lab.) del derecho.
Repetir las v. 1.ª y 2.ª para el punto de presilla.

GORRO

Banda y tira de abrochar

Con la ag. circ. más larga y 2 hebras de lana juntas, montar 132 (138) p. No unir.
1.ª v. Cerrar 78 p. (para la tira de abrochar), cambiar a ag. circ. de 60 cm y tejer del der. hasta el final = 54 (60) p. Unir, cuidando de no retorcer los p. en la ag., y poner marc. al ppio. de la v. Trabajando por el rev. lab., cont. de este modo:
2.ª v. del revés.
3.ª v. del derecho.
4.ª v. del revés.

Copa

Rep. 6 veces las v. 1.ª y 2.ª del punto de presilla.

Corona

1.ª v. del revés.
2.ª v. del derecho.
3.ª v. del revés.
4.ª v. (mg.) *4 p. der., 2 p. j. der. ret.; rep. desde * hasta el final = 45 (50) p.
5.ª a 7.ª v. rep. las v. 1.ª a 3.ª
Cambiar a ag. dp.
8.ª v. (mg.) *3 p. der., 2 p. j. der. ret.; rep. desde * hasta el final = 36 (40) p.
9.ª a 11.ª v. rep. las v. 1.ª a 3.ª
12.ª v. (mg.) *2 p. der., 2 p. j. der. ret.; rep. desde * hasta el final = 27 (30) p.
13.ª a 15.ª v. rep. las v. 1.ª a 3.ª
16.ª v. (mg.) *1 p. der., 2 p. j. der. ret.; rep. desde * hasta el final = 18 (20) p.
17.ª v. del revés.
18.ª v. (mg.) [2 p. j. der. ret.] 9 (10) veces = 9 (10) p. Cortar las hebras dejando cabos de 15,5 cm. Enhebrarlos en una aguja de tapicería y pasar por los p. restantes. Tirar bien y rematar las hebras.

ACABADO

Doblar la tira para abrochar por la mitad y alinear los bordes montados. Empezando a 2,5 cm del doblez (presilla de abrochar), coser a repulgo los bordes montados. Coser el extremo de la tira al borde inferior de la banda. Al otro lado de la banda, coser el botón situándolo en el borde inferior de modo que la tira se pueda abrochar al botón.

MATERIALES

Lana
Cashmerino de Debbie Bliss (KFI, en ovillos de 50 g y aprox. 114 m (merino/microfibra/cachemir)
- 2 ovillos del n.° 4 rojo

Agujas
- Un par de agujas del n.° 8 (5 mm) o del tamaño adecuado para la muestra
- 2 agujas circulares (ag. circ.) del n.° 8 (5 mm) de 40 y de 61 cm de largo

Fornituras
- Marcador de puntos (marc.)

VERDUGO CON CALADOS

A la hora de defenderse de la intemperie, con este gorro tan abrigado no se corren riesgos. Se teje en un rojo semáforo que detiene el frío. Se empieza por la coronilla y se trabaja ida y vuelta en la zona de calados y luego se une para terminar el cuello en redondo. Por último se recogen los puntos para hacer una "banda" alrededor de la cara que se vuelve hacia atrás pero que también se puede llevar sin doblar cuando el tiempo es inclemente.

TALLA

Única.

MEDIDAS FINALES

Aprox. 24 cm de profundidad x 26,5 cm de alto (sin cuello).

MUESTRA

14 p. y 20 v. = 10 cm a punto liso con ag. circ. del n.° 8 (5 mm).
Hacer siempre la muestra.

PUNTO DE VID

(Tejido ida y vuelta; múltiplo de 9 p. + 2).
1.ª v. (der. lab.) 1 p. der. *1 p. der., h., 2 p. der., SS., 2 p. j. der., 2 p. der., h.; rep. desde * hasta el final, terminando con 1 p. der.
2.ª v. del revés.
3.ª v. 1 p. der. *h., 2 p. der., SS., 2 p. j. der., 2 p. der., h., 1 p. der.; rep. desde * hasta el final, terminando con 1 p. der.
4.ª v. del revés.
Rep. las v. 1.ª a 4.ª para el p. de vid.

PUNTO DE VID

(Tejido en redondo; múltiplo de 9 p.).
1.ª v. *1 p. der., h., 2 p. der., SS., 2 p. j. der., 2 p. der., h.; rep. desde * hasta el final.
2.ª v. del derecho.
3.ª v. *h., 2 p. der., SS., 2 p. j. der., 2 p. der., h., 1 p. der.; rep. desde * hasta el final.
4.ª v. del derecho.
Rep. las v. 1.ª a 4.ª para el punto de vid.

GORRO

Con las ag. rectas, montar 65 p. Tejer ida y vuelta a p. de vid durante 23 cm, terminando en una v. 3.ª
V. sig. (mg.) (rev. lab.) 2 p. j.rev., revés hasta los 2 últimos p., 2 p. j. rev. = 63 p.
Cuello (tejido en redondo)
Cambiar a la ag. circ. más corta. Por el der. lab. del p. de vid, unir la labor en redondo de este modo:
V. sig. hacer 1 v. de p. de vid (en redondo), montando 9 p. al final de la v. = 72 p. Cont. a p. de vid durante 11 v. más.
Cuello-bufanda
1.ª a 6.ª v. *2 p. der., 2 p. rev.; rep. desde * hasta el final.
7.ª v. *1 p. der., h., 1 p. der., 2 p. rev.; rep. desde * hasta el final = 90 p.
8.ª v. *3 p. der., 2 p. rev.; rep. desde * hasta el final.
9.ª v. *[1 p. der., h.] 2 veces, 1 p. der., 2 p. rev.; rep. desde * hasta el final = 126 p.
10.ª a 16.ª v. *5 p. der., 2 p. rev.; rep. desde * hasta el final. Cerrar sin apretar a p. de elástico 5/2.

ACABADO

Hacer la costura de arriba.
Banda delantera
Por el der. lab. y con la ag. circ. más larga, empezando por el p. central de 9 p. montados, recoger y tejer del der. 40 p. repartidos por el borde frontal hasta la costura de arriba, recoger y tejer del der. otros 40 p. hasta el final = 80 p. Unir y poner marc. al ppio. de la v.
1.ª a 3.ª v. *2 p. der., 2 p. rev.; rep. desde * hasta el final.
4.ª v. *1 p. der., h., 1 p. der., 2 p. rev.; rep. desde * hasta el final = 100 p.
5.ª a 14.ª v. *3 p. der., 2 p. rev.; rep. desde * hasta el final. Cerrar sin apretar a p. de elástico 3/2.

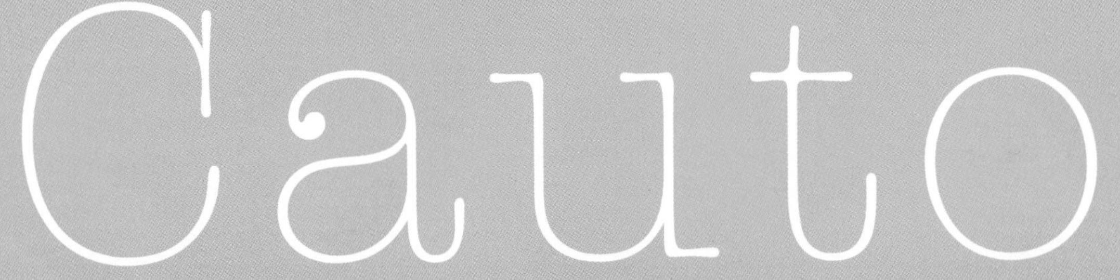

MATERIALES

Lana

Cashsoft Aran de Rowan/Westminster Fibers, Inc., en ovillos de 50 g y aprox. 87 m (merino extrafino/microfibra acrílica/cachemir)

- 4 ovillos del n.° 1 oat (avena)

Agujas

- Un juego de 4 agujas de doble punta (ag. dp.) del n.° 6 (4 mm) o del tamaño adecuado para la muestra

Fornituras

- Marcador de puntos (marc.)
- 11 perlas de 12 mm
- Aguja de coser
- Hilo de coser coordinado

BANDA CON MOTIVO DE HOJAS

Aunque los romanos apenas necesitaban ropa de invierno —cuando descendía la temperatura, se trasladaban a Pompeya— una corona de laurel se consideraba obligatoria para los altos dignatarios. Ésta es ideal para las damas más nobles de la actualidad. La banda para el pelo se trabaja en redondo y, aunque la textura de las hojas requiere un poco de atención, vale la pena el esfuerzo.

TALLA

Única.

MEDIDAS FINALES

Aprox. 12,5 cm de ancho y 49,5 cm de largo (sin tiras de atar).

MUESTRA

24 p. y 32 v. = 10 cm a punto liso con ag. dp. del n.° 6 (4 mm).
Hacer siempre la muestra.

GLOSARIO DE PUNTOS

Aum.: tejer el p. por delante y por detrás.

BANDA

Primera tira de atar

Con ag. dp., montar 12 p., dejando un cabo largo para coser. Dividir los p. en 3 ag. Unir, cuidando de no retorcer los p. en las ag., y poner marc. al ppio. de la v. Trabajar en redondo a p. liso del der. durante 38 cm.

V. sig. 6 p. der., h., p. der. hasta el final.

Forma lateral

1.ª v. para el delantero, 1 p. der., h., del rev. hasta el 1.er p. junto al marc. (p. delanteros), h., 1 p. der., desl. marc., para la parte trasera, 1 p. der., h., del rev. hasta el 1.er p. antes del marc. sig. (p. traseros), h., 1 p. der. = 16 p.

2.ª v. 2 p. der., del rev. hasta 2 p. antes del sig. marc., 2 p. der., desl. marc., 2 p. der., del rev. hasta 2 p. antes del sig. marc., 2 p. der.

3.ª v. rep. la 1.ª v. = 20 p.

4.ª v. rep. la 2.ª v.

5.ª v. rep. la 1.ª v. = 24 p.

6.ª v. rep. la 2.ª v.

7.ª v. 1 p. der., h., 3 p. rev., h., 1 p. der., desl. marc., 1 p. der., h., del rev. hasta 1 p. antes del marc., h., 1 p. der. = 28 p.

8.ª v. 2 p. der., 3 p. rev., 4 p. der., 3 p. rev., 2 p. der., desl. marc., 2 p. der., del rev. hasta 2 p. antes del sig. marc., 2 p. der.

9.ª v. 1 p. der., h., 4 p. rev., h., 1 p. der., desl. marc., 1 p. der., h., del rev. hasta 1 p. antes del sig. marc., 1 p. der. = 32 p.

10.ª v. 2 p. der., 4 p. rev., 4 p. der., 4 p. rev., 2 p. der., desl. marc., 2 p. der., del rev. hasta 2 p. antes del sig. marc., 2 p. der.

11.ª v. 1 p. der., h., 5 p. rev., 1 p. der., 2 p. j. der., 1 p. der., 5 p. rev., h., 1 p. der., desl. marc., 1 p. der., h., del rev. hasta 1 p. antes del sig. marc., h., 1 p. der. = 35 p.

12.ª v. 2 p. der., 5 p. rev., 3 p. der., 5 p. rev., 2 p. der., desl. marc., 2 p. der., del revés hasta 2. p. antes del sig. marc., 2 p. der.

13.ª v. 2 p. der., h., 6 p. rev., 3 p. der., 6 p. rev., h., 1 p. der., desl. marc., 1 p. der., h., del rev. hasta 1 p. antes del marc., h., 1 p. der. = 39 p.

14.ª v. 2 p. der., 5 p. rev., [1 p. der., 1 p. rev.] 2 veces, 1 p. der., 5 p. rev., 2 p. der., desl. marc., 2 p. der., del rev. hasta 2 p. antes del sig. marc., 2 p. der.

15.ª v. 1 p. der., h., 4 p. rev., 2 p. j. rev., [h., 1 p. rev.] 2 veces, 1 p. der. [1 p. rev., h.] 2 veces, 2 p. j. rev., 4 p. rev., h., 1 p. der., desl. marc., 1 p. der., h., del rev. hasta 1 p. antes del marc., h., 1 p. der. = 45 p.

16.ª v. 2 p. der., 5 p. rev., 3 p. der., 1 aum. en p. sig., 1 p. der., 1 aum. en el p. sig., 3 p. der., 5 p. rev., 2 p. der., desl. marc., 2 p. der., del rev. hasta 2 p. antes del sig. marc., 2 p. der. = 47 p.

17.ª v. 1 p. der., h., 4 p. rev., 2 p. j. rev., [1 p. der., h.] 2 veces, 1 p. der., 2 p. rev., 1 p. der., 2 p. rev., [1 p. der., h.] 2 veces, 1 p. der., 2 p. j. rev., 4 p. rev., h., 1 p. der., desl. marc., 1 p. der., h., del rev. hasta 1 p. antes del marc., h., 1 p. der. = 53 p.

18.ª v. 2 p. der., 5 p. rev., 5 p. der., 1 p. rev., 1 aum. en el p. sig., 1 p. der., 1 aum. en el p. sig., 1 p. rev., 5 p. der., 5 p. rev., 2 p. der., desl. marc., 2 p. der., del rev. hasta 2 p. antes del sig. marc., 2 p. der. = 55 p.

19.ª v. 1 p. der., h., 4 p. rev., 2 p. j. rev., 2 p. der., h., 1 p. der., h., 2 p. der., 3 p. rev., 1 p. der., 3 p. rev., 2 p. der., h., 1 p. der., h., 2 p. der., 2 p. j. rev.,

(Continúa en la página 92).

Noble

MATERIALES

Lana

Baby Alpaca Grande Tweed de Plymouth Yarn Company, en madejas de 100 g y aprox. 100 m (bebé alpaca y acrílico/poliéster)

- 1 madeja del n.° 5298 menta (A)

Baby Alpaca Grande de Plymouth Yarn Company, en madejas de 100 g y aprox. 100 m (bebé alpaca)

- 1 madeja del n.° 302 chocolate (B)

Agujas

- Aguja circular (ag. circ.) del n.° 10 (6 mm) y de 40 cm de largo o del tamaño adecuado para la muestra
- Un juego de 4 agujas de doble punta (ag. dp.) del n.° 10 (6 mm)

Fornituras

- Marcador de puntos (marc.)

GORRO PARA COLA DE CABALLO

No es precisamente un gorro para tapar un pelo mal peinado, pero sí es la solución para quienes tienen una larga melena y quieren llevar cola de caballo y gorro al mismo iempo. La corona se trabaja en redondo de arriba abajo, pero en cuanto empieza la copa, se trabaja ida y vuelta para dejar una abertura detrás.

TALLAS

Mediana (Grande).

MEDIDAS FINALES

Circunferencia: 47 (52) cm.

MUESTRAS

14 p. y 20 v. = 10 cm a punto liso con ag. circ. del n.° 10 (6 mm) y A.
13 p. y 24 v. = 10 cm a punto de arroz con ag. circ. del n.° 10 (6 mm) y A.
Hacer siempre la muestra.

GLOSARIO DE PUNTOS

Aum.: tejer el p. por delante y por detrás.

PUNTO DE ARROZ

(múltiplo de 2 p.).
1.ª v. *1 p. der., 1 p. rev.; rep. desde * hasta el final.
2.ª v. Tejer del der. los p. del rev., y del rev. los p. del der.
Rep. la 2.ª v. para el punto de arroz.

GORRO

Corona

Con ag. dp. y A, montar 12 p., dejando un cabo largo para coser. Dividir los p. en 3 ag. Unir, cuidando de no retorcer los p. en las ag., y poner marc. al ppio. de la v.
1.ª v. y todas la v impares del derecho.
2.ª v. *1 p. der., 1 aum. en el p. sig.; rep. desde * hasta el final = 18 p.
4.ª v. *2 p. der., 1 aum. en el p. sig.; rep. desde * hasta el final = 24 p.
6.ª v. *3 p. der., 1 aum. en el p. sig.; rep. desde * hasta el final = 30 p.
8.ª v. *4 p. der., 1 aum. en el p. sig.; rep. desde * hasta el final = 36 p.
Cont. tejiendo 1 p. der. más antes de 1 aum. cada dos vueltas, 4 (5) veces más = 60 (66) p. Cambiar a la ag. circ. Tejer del der. la v. sig. Volver la labor.

Copa

Trabajando ida y vuelta con la ag. circ., tejer a punto de arroz durante 11,5 (12,5) cm. Cortar A dejando un cabo largo. Reservar.

Borde y tira de atar de cordón

Para la primera tira, con ag. dp. y B, montar 3 p., dejando un cabo largo. Tejer el cordón de este modo: ***V. sig. (der. lab.)** con la 2.ª ag. dp., 3 p. der., no volver. Deslizar los p. de nuevo en el ppio. de la ag. para hacer la v. sig. por el der. lab.; rep. desde * hasta que el cordón mida 10 cm desde el ppio. No desl. los p. al ppio. de la ag. Por el der. lab. y trabajando de dcha. a izq., aplicar el cordón al borde del gorro de este modo: por el der. lab., desl. los 3 p. de la ag. dp. al ppio. de la ag. circ. ***V. sig.** con ag. dp. y B, 2 p. j. der. ret. (incluyendo el p. con A). Volver los 3 p. a la ag. circ. como antes; rep. desde * hasta haber trabajado todos los p. de la ag. circ. Para la 2.ª tira, continuar a cordón durante 10 cm. Cortar la hebra dejando un cabo largo. Enhebrar el cabo en una aguja de tapicería y pasar por todos los p. Tirar para fruncir y rematar bien. Rep. con la 1.ª tira.

ACABADO

Enhebrar el cabo del ppio. en la aguja de tapicería. Pasar por la abertura en lo alto de la corona. Tirar bien y rematar la hebra. En el extremo de cada cordón, hacer un nudo simple y luego un nudo plano para unir los bordes.

Alegre

MATERIALES

Lana

Supercotton de Schulana/Skacel Collection, Inc., en ovillos de 50 g y aprox. 90 m (algodón/poliéster)

- 3 ovillos del n.° 20 blanco roto

Agujas

- Aguja circular (ag. circ.) del n.° 10½ (6,5 mm) y de 40 cm de largo o del tamaño adecuado para la muestra
- Un juego de 4 agujas de doble punta (ag. dp.) del n.° 10½ (6,5 mm)

Fornituras

- Marcador de puntos (marc.)
- 300 lentejuelas doradas de 20 mm con agujero grande

GORRO CON LENTEJUELAS

Algunos opinan que las lentejuelas son para fiestas de gala, pero tú no eres de ésos. ¿Hay algo mejor que anime y que al mismo tiempo haga juego con tu chispeante personalidad? Las lentejuelas grandes (paillettes) se enfilan antes de empezar la labor. Una vez tejida la corona, se van tomando las lentejuelas de una en una, un punto tras otro. Y cuando hayas terminado ya puedes salir de fiesta.

TALLAS

Mediana (Grande).

MEDIDAS FINALES

Circunferencia: 51 (56) cm.

MUESTRA

12 p. y 12 v. = 10 cm a punto liso, con ag. circ. del n.° 10½ (6,5 mm) y la lana en doble.

Hacer siempre la muestra.

DIBUJO CON PAILLETTES

1.ª v. *1 p. der., desl. paillette, sostenerla por delante y pasar el p. sig. a la ag. dcha.; rep. desde * hasta el final.

2.ª a 4.ª v. del derecho.

Rep. las v. 1.ª a 4.ª para el dibujo con paillettes.

NOTA

Se trabaja siempre con la hebra doble.

GLOSARIO DE PUNTOS

Aum.: tejer el p. por delante y por detrás.

GORRO

Enhebrar 2 hebras de lana en una aguja de tapicería. Enfilar todas las paillettes en la hebra doble.

Corona

Con ag. dp. y 2 hebras de lana juntas, montar 12 p., dejando cabos largos para coser.

Dividir los puntos en 3 ag. Unir, cuidando de no retorcer los p. en las ag., y poner marc.

1.ª v. y todas las v. impares del derecho.

2.ª v. *1 p. der., 1 aum. en el p. sig.; rep. desde * hasta el final = 18 p.

4.ª v. *2 p. der., 1 aum. en el p. sig.; rep. desde * hasta el final = 24 p.

6.ª v. *3 p. der., 1 aum. en el p. sig.; rep. desde * hasta el final = 30 p.

8.ª v. *4 p. der., 1 aum. en el p. sig.; rep. desde * hasta el final = 36 p.

10.ª v. *5 p. der., 1 aum. en el p. sig.; rep. desde * hasta el final = 42 p.

12.ª v. *6 p. der., 1 aum. en el p. sig.; rep. desde * hasta el final = 48 p.

14.ª v. *7 p. der., 1 aum. en el p. sig.; rep. desde * hasta el final = 54 p.

16.ª v. *8 p. der., 1 aum. en el p. sig.; rep. desde * hasta el final = 60 p.

Para la talla grande sólo

17.ª v. del derecho.

18.ª v. *9 p. der., 1 aum. en el p. sig.; rep. desde * hasta el final = 66 p.

Para las dos tallas

Cambiar a la ag. circ. Hacer la vuelta marcada de este modo:

1.ª v. del derecho.

2.ª y 3.ª v. del revés.

4.ª v. del derecho.

Copa

Rep. 4 veces las v. 1.ª a 4.ª del dibujo con paillettes y luego rep. 1 vez la 1.ª v.

Banda

1.ª y 2.ª v. del derecho.

3.ª a 7.ª v. del revés. Cerrar los puntos del derecho sin apretar.

ACABADO

Enhebrar los cabos del ppio. en una aguja de tapicería. Pasar por la abertura en lo alto de la corona. Tirar bien y rematar las hebras.

MATERIALES

Lana

Zara Chiné de Filatura Di Crosa/Tahki-Stacy Charles, Inc., en ovillos de 50 g y aprox. 125 m (lana merino)

- 3 ovillos del n.º 1709 chiñé denim claro (A)

New Smoking de Filatura Di Crosa/Tahki-Stacy Charles, Inc., en ovillos de 25 g y aprox. 120 m (viscosa/poliéster)

- 2 ovillos del n.º 2 plata (B)

Agujas

- Aguja circular (ag. circ.) del n.º 10 (6 mm), de 40 cm de largo o del tamaño adecuado para la muestra
- Un juego de 4 agujas de doble punta (ag. dp.) del n.º 10 (6 mm)

Fornituras

- Marcador de puntos (marc.)

GORRO DAMERO

Un gorro en azul y plata, frío como el hielo, para esos días en que quieres que te dejen en paz. Pero ¡ten cuidado: el dibujo divertido, la copa alta y los brillos de las hebras metalizadas pueden animarte y alegrarte el día!

TALLAS

Mediana (Grande).

MEDIDAS FINALES

Circunferencia: 48 (52) cm.

MUESTRA

14 p. y 20 v. = 10 cm en dibujo de damero con ag. circ. del n.º 10 (6 mm) y A y B juntas.

Hacer siempre la muestra.

NOTA

Se utilizan siempre A y B juntas.

GLOSARIO DE PUNTOS

Aum.: tejer el p. por delante y por detrás.

DIBUJO DE DAMERO

(Múltiplo de 6 p.).

1.ª a 4.ª v. *3 p. der., 3 p. rev.; rep. desde * hasta el final.

5.ª a 8.ª v. *3 p. rev., 3 p. der.; rep. desde * hasta el final.

Rep. las v. 1.ª a 8.ª para el dibujo de damero.

GORRO

Corona

Con ag. dp. y A y B juntas, montar 12 p., dejando cabos largos para coser. Dividir los p. en 3 ag. Unir, cuidando de no retorcer los p. en las ag., y poner marc. al ppio. de la v.

1.ª v. y todas las v. impares del derecho.

2.ª v. *1 p. der., 1 aum. en el p. sig.; rep. desde * hasta el final = 18 p.

4.ª v. *2 p. der., 1 aum. en el p. sig.; rep. desde * hasta el final = 24 p.

6.ª v. *3 p. der., 1 aum. en el p. sig.; rep. desde * hasta el final = 30 p.

8.ª v. *4 p. der., 1 aum. en el p. sig.; rep. desde * hasta el final = 36 p.

10.ª v. *5 p. der., 1 aum. en el p. sig.; rep. desde * hasta el final = 42 p.

12.ª v. *6 p. der., 1 aum. en el p. sig.; rep. desde * hasta el final = 48 p.

14.ª v. *7 p. der., 1 aum. en el p. sig.; rep. desde * hasta el final = 54 p.

16.ª v. *8 p. der., 1 aum. en el p. sig.; rep. desde * hasta el final = 60 p.

18.ª v. *9 p. der., 1 aum. en el p. sig.; rep. desde * hasta el final = 66 p.

Para la talla grande sólo

19.ª v. del derecho.

20.ª v. *10 p. der., 1 aum. en el p. sig.; rep. desde * hasta el final = 72 p.

Para las dos tallas

Cambiar a la ag. circ. Del revés las 3 v. sig. para la vuelta marcada.

Copa

Rep. 4 veces las v. 1.ª a 8.ª del dibujo de damero, y luego 1 vez las v. 1.ª a 4.ª

Banda

1.ª a 10.ª v. del derecho.

11.ª v. del revés.

12.ª v. del derecho. Cerrar del derecho sin apretar.

ACABADO

Enhebrar los cabos del ppio. en una aguja de tapicería. Pasar por la abertura en lo alto de la corona. Tirar bien y rematar las hebras. Doblar la banda 4,5 cm sobre el dcho. Con A y la aguja de tapicería, hacer una bastilla (ver página 96) entre la 10.ª y la 11.ª v. de la banda, para sujetar la vuelta en su sitio.

MATERIALES

Lana
Bulky de Blue Sky Alpacas, en madejas de 100 g y aprox. 41 m (alpaca/lana)
- 1 madeja del n.º 1009 bobcat (crudo) (A)

Opulent de Ozark Handspun, en madejas de 100 g y aprox. 46 m (lana/mohair)
- 1 madeja del n.º 346 indian (naranja) (B)

Agujas
- Un juego de 4 agujas de doble punta (ag. dp.) del n.º 10½ (6,5 mm) o del tamaño adecuado para la muestra
- Aguja circular (ag. circ.) del n.º 15 (10 mm) y 40 cm de largo o del tamaño adecuado para la muestra

Fornituras
- Marcador de puntos (marc.)

PILLBOX CON TEXTURA

Este gorro es para las auténticas amantes de la lana con color y textura. Una fantástica combinación de lana/mohair hilada y teñida a mano, alternando con una suave mezcla de alpaca y lana para dar lugar a una textura perfecta. No podrás ocultar tu entusiasmo por este espléndido gorro.

TALLAS

Mediana (Grande).

MEDIDAS FINALES

Circunferencia: 54,5 (57) cm.

MUESTRAS

10 p. y 14 v. = 10 cm a punto liso con ag. dp. del n.º 10½ (6,5 mm) y A.
7 p. y 12 v. = 10 cm a punto liso con ag. circ. del n.º 15 (10 mm) y B.
Hacer siempre las muestras.

GLOSARIO DE PUNTOS

Aum.: tejer el p. por delante y por detrás.

GORRO

Corona
Con ag. dp. y A, montar 12 p., dejando un cabo largo para coser. Dividir los p. en 3 ag. Unir, con cuidado de no retorcer los p. en las ag., y poner marc. al ppio. de la v.
1.ª v. *1 p. der., 1 aum. en el p. sig.; rep. desde * hasta el final = 18 p.
2.ª v. y todas las v. pares del derecho.
3.ª v. *2 p. der., 1 aum. en el p. sig.; rep. desde * hasta el final = 24 p.
5.ª v. *3 p. der., 1 aum. en el p. sig.; rep. desde * hasta el final = 30 p.
7.ª v. *4 p. der., 1 aum. en el p. sig.; rep. desde * hasta el final = 36 p.
Para la talla mediana sólo
9.ª v. *17 p. der., 1 aum. en el p. sig.; rep. desde * hasta el final = 38 p.
Para la talla grande sólo
9.ª v. *8 p. der., 1 aum. en el p. sig.; rep. desde * hasta el final = 40 p.
Para las dos tallas
Tejer del derecho la v. sig. Volver la corona situando el der. lab. (punto del revés) hacia fuera. Cambiar a la ag. circ. y B.

Copa
1.ª a 5.ª v. con B, del derecho.
6.ª v. con A, del derecho.
Repetir las v. 1.ª a 6.ª otras 2 veces.

Banda
1.ª a 3.ª v. con A, del derecho. Cerrar del derecho sin apretar. Dar la vuelta al gorro para que el lado del revés de la copa y el lado del derecho de la corona queden hacia fuera.

ACABADO

Enhebrar los cabos del ppio. en una aguja de tapicería. Pasar por la abertura en lo alto de la corona. Tirar bien y rematar la hebra.

MATERIALES

Lana

Opulent de Ozark Handspun, en madejas de 100 g y aprox. 46 m (lana/mohair)

- 1 madeja del n.º 143 sima (A)

Burley Spun de Brown Sheep Company, en madejas de 226 g y aprox. 119 m (lana)

- 1 madeja del n.º BS07 sable (arena) (B)

Agujas

- Aguja circular (ag. circ.) del n.º 13 (9 mm) y 40 cm de largo o del tamaño adecuado para la muestra
- Un juego de 4 agujas de doble punta (ag. dp.) del n.º 13 (9 mm)

Fornituras

- Marcador de puntos (marc.)

GORRO DE FLORES

Con pintas rosas y rojas, este gorro tan femenino evoca un campo de flores. Se trabaja desde la coronilla hacia abajo y se sujeta con una banda marrón chocolate (y que no pica).

TALLAS

Mediana (Grande).

MEDIDAS FINALES

Circunferencia: 49,5 (54,5) cm.

MUESTRA

10 p. y 14 v. = 10 cm a punto liso con ag. circ. del n.º 13 (9 mm) y A.
Hacer siempre la muestra.

GLOSARIO DE PUNTOS

Aum.: tejer el p. por delante y por detrás.

GORRO

Corona

Con ag. dp. y A, montar 12 p., dejando un cabo largo para coser. Dividir los p. en 3 ag. Unir, cuidando de no retorcer los p. en las ag., y poner marc. al ppio. de la v.
1.ª v. y todas las v. impares del derecho.
2.ª v. *1 p. der., 1 aum. en el p. sig.; rep. desde * hasta el final = 18 p.
4.ª v. *2 p. der., 1 aum. en el p. sig.; rep. desde * hasta el final = 24 p.
6.ª v. *3 p. der., 1 aum. en el p. sig.; rep. desde * hasta el final = 30 p.
8.ª v. *4 p. der., 1 aum. en el p. sig.; rep. desde * hasta el final = 36 p.
10.ª v. *5 p. der., 1 aum. en el p. sig.; rep. desde * hasta el final = 42 p.
12.ª v. *6 p. der., 1 aum. en el p. sig.; rep. desde * hasta el final = 48 p.
Para la talla grande sólo
13.ª v. del derecho.
14.ª v. *7 p. der., 1 aum. en el p. sig.; rep. desde * hasta el final = 54 p.
Para las dos tallas
Cambiar a ag. circ. Del derecho la v. sig.

Banda

Volver la corona hacia el dcho. (tejido del revés hacia fuera).
Éste es ahora el der. lab. Cambiar a B.
1.ª y 2.ª v. del derecho.
3.ª y 4.ª v. del revés. Rep. las v. 1.ª a 4.ª otra vez. Tejer del der. la v. sig. Cerrar del der. sin apretar.

ACABADO

Enhebrar el cabo del ppio. en una aguja de tapicería. Pasar por la abertura en lo alto de la corona. Tirar bien y rematar la hebra.

MATERIALES

Lana

Classic Wool de Paton Yarns, en ovillos de 100 g y aprox. 205 m (lana)

- 1 ovillo del n.º 208 jade heather (verde jade) (A)
- 1 ovillo del n.º 240 leaf green (verde hoja) (B)

Agujas

- Aguja circular (ag. circ.) del n.º 7 (4,5 mm) de 40 cm de largo o del tamaño adecuado para la muestra
- Un juego de 4 agujas de doble punta (ag. dp.) del n.º 7 (4,5 mm)

Fornituras

- Marcador de puntos (marc.)

GORRO BICOLOR CON BORLA

Este gorro, que recuerda vagamente a una hélice, es una fantasía elegante y refinada. Una vez tejido el gorro básico —mejor en dos colores para que destaquen los cordones de adorno— se tejen segmentos de la banda elástica en forma de cordones que se recogen en la coronilla. ¡Como fuegos artificiales!

TALLAS

Mediana (Grande).

MEDIDAS FINALES

Circunferencia: 49,5 (56) cm.

MUESTRAS

20 p. y 24 v. = 10 cm a punto liso, con ag. circ. del n.º 7 (4,5 mm).
22 p. y 26 v. = 10 cm a elástico 3/3 (ligeramente estirado) con ag. circ. del n.º 7 (4,5 mm).
Hacer siempre las muestras.

GLOSARIO DE PUNTOS

Aum.: tejer el p. por delante y por detrás.

GORRO

Corona

Con ag. dp. y A, montar 12 p., dejando un cabo largo para coser. Dividir los p. en 3 ag. Unir, cuidando de no retorcer los p. en las ag., y poner marc. al ppio. de la v.
1.ª v. y todas las v. impares del derecho.
2.ª v. *1 p. der., 1 aum. en el p. sig.; rep. desde * hasta el final = 18 p.
4.ª v. *2 p. der., 1 aum. en el p. sig.; rep. desde * hasta el final = 24 p.
6.ª v. *3 p. der., 1 aum. en el p. sig.; rep. desde * hasta el final = 30 p.
8.ª v. *4 p. der., 1 aum. en el p. sig.; rep. desde * hasta el final = 36 p.
10.ª v. *5 p. der., 1 aum. en el p. sig.; rep. desde * hasta el final = 42 p.
12.ª v. *6 p. der., 1 aum. en el p. sig.; rep. desde * hasta el final = 48 p.
14.ª v. *7 p. der., 1 aum. en el p. sig.; rep. desde * hasta el final = 54 p.
Cont. haciendo 1 p. der. más antes del aum., cada 2 v., otras 9 (11) veces más = 108 (120) p. Cambiar a la ag. circ. Trabajar a punto liso 7,5 cm. Cambiar a B. Hacer la v. sig. del derecho.

Banda

Continuar a punto elástico 3 p. der./ 3 p. rev. durante 10 (11,5) cm. Volver la pieza del derecho.
V. sig. (cerrar) desl. 1p., 2 p. der., *cerrar los 3 p. sig., 2 p. der.; rep. desde * hasta el final, utilizando el 1.er p. de la v. sig. para completar los 3 últimos p. de cierre.

Pimer cordón

Pasar los 3 primeros p. de la ag. circ. a una ag. dp. Trabajar el cordón de este modo:
***V. sig. (der. lab.)** con la 2.ª ag. dp., 3 p. der., no girar. Deslizar los p. de vuelta al ppio. de la ag. para trabajar la v. sig. desde el der. lab.; rep. desde * hasta que el cordón mida 28 (29) cm desde el ppio. Cortar la hebra dejando un cabo de 15,5 cm. Enhebrar el cabo en una aguja de tapicería y pasarlo por los p. restantes. Tirar bien y rematar la hebra.

Segundo cordón

Pasar los 3 p. sig. de la ag. circ. a una ag. dp. Unir B y cont. tejiendo como el primer cordón. Cont. de este modo hasta tener terminados 16 (18) cordones.

ACABADO

Enhebrar el cabo del ppio. en una aguja de tapicería. Pasar por la abertura en lo alto de la corona. Tirar bien y rematar la hebra. Cortar una hebra de 61 cm de B. Enhebrarla en la aguja de tapicería y utilizarla en doble. Trabajando a 11,5 cm del extremo de los cordones y de derecha a izquierda, pasar la aguja por cada cordón. Tirar para juntarlos y rematar la hebra pero sin cortarla. Enrollarla dos veces alrededor del manojo de cordones y rematar.

Antojadizo

MATERIALES

Lana

Montera de Classic Elite Yarns, en madejas de 100 g y aprox. 116 m (llama/lana)

- 1 madeja del n.° 3849 amatista (A)

La Grand de Classic Elite Yarns, en ovillos de 42 g y aprox. 82 m (mohair/lana/nailon)

- 2 ovillos del n.° 61556 lovely lilac (lila) (B)

Agujas

- Aguja circular (ag. circ.) del n.° 10½ (6,5 mm) de 40 cm de largo o del tamaño adecuado para la muestra
- Un juego de 4 agujas de doble punta (ag. dp.) del n.° 10½ (6,5 mm)

Fornituras

- Marcador de puntos (marc.)
- 0,75 m de galón de plumas de 20 mm de ancho

FEDORA DE FIELTRO

Este alegre sombrero alto complementa distintas tallas y distintas formas de rostro. Se puede personalizar cambiando el galón por lentejuelas, cintas, una hebilla vintage, un cordón de cuero… ¡lo que más te guste!

TALLAS

Mediana (Grande).

MEDIDAS FINALES

Circunferencia: 56 (61) cm.

MUESTRA

12 p. y 22 v. = 10 cm a punto liso con ag. circ. del n.° 10½ (6,5 mm) y A y B juntas (antes de hacerlo fieltro).
Hacer siempre la muestra.

NOTA

Tejer siempre con A y B juntas.

GLOSARIO DE PUNTOS

Aum.: tejer el p. por delante y por detrás.

GORRO

Corona

Con ag. dp. y A y B juntas, montar 12 p., dejando unos cabos largos para coser. Dividir los p. en 3 ag. Unir, cuidando de no retorcer los p. en las ag., y poner marc. al ppio. de las v.

1.ª v. y todas las v. impares del derecho.

2.ª v. *1 p. der., 1 aum. en el p. sig.; rep. desde * hasta el final = 18 p.

4.ª v. *2 p. der., 1 aum. en el p. sig.; rep. desde * hasta el final = 24 p.

6.ª v. *3 p. der., 1 aum. en el p. sig.; rep. desde * hasta el final = 30 p.

8.ª v. *4 p. der., 1 aum. en el p. sig.; rep. desde * hasta el final = 36 p.

Cont. haciendo 1 p. der. más antes del aum., cada 2 v., otras 3 (4) veces más = 54 (60) p. Hacer del derecho la v. sig. Cambiar a ag. circ.

Tejer del rev. las 3 v. sig. para la vuelta de la corona.

Forma de la copa

1.ª a 4.ª v. del derecho.

5.ª v. *8 (9) p. der., 1 aum. en el p. sig.; rep. desde * hasta el final = 60 (66) p.

6.ª a 9.ª v. del derecho.

10.ª v. *9 (10) p. der., 1 aum. en el p. sig.; rep. desde * hasta el final = 66 (72) p.

11.ª a 14.ª v. del derecho.

15.ª v. *10 (11) p. der., 1 aum. en el p. sig.; rep. desde * hasta el final = 72 (78) p.

16.ª a 32.ª v. del derecho.

Ala

V. sig. (aum.) *3 p. der., 1 aum. en el p. sig.; rep. desde * hasta el final, terminando con 0 (2) p. der. = 90 (97) p. Tejer 7 v. del derecho. Cerrar los p. sin apretar.

ACABADO

Enhebrar los cabos del ppio. en una aguja de tapicería. Pasar por la abertura en lo alto de la corona. Tirar bien y rematar las hebras.

Hacer el fieltro

Introducir el gorro en la lavadora y ponerla con caliente y aclarado en agua fría con nivel de agua bajo. Meter también unos vaqueros para que froten y equilibren la agitación. Añadir 1 cucharada de detergente y ¼ de taza de bicarbonato al principio del ciclo de lavado. Repetir el ciclo si hiciera falta, hasta que el sombrero se haya convertido en fieltro y esté a la medida final. Darle forma con las manos y enrollar el ala hacia arriba. Dejarlo secar al aire. Coser el galón.

MATERIALES

Lana

Glitterspun de Lion Brand Yarn, en madejas de 50 g y aprox. 105 m (acrílico/cupro/poliéster)

- 5 madejas del n.º 170 gold (dorado)

Agujas

- Aguja circular (ag. circ.) del n.º 10 (6 mm) y de 40 cm de largo del tamaño adecuado para la muestra
- Aguja auxiliar (ag. aux.)

Fornituras

- Marcador de puntos (marc.)

GORRO DE OCHOS CON POMPÓN

Para las chicas que sólo quieren divertirse, ¿qué mejor complemento que un gorro tejido con una lana dorada brillante? Las lanas metalizadas siempre están de moda. El gorro se empieza por la banda elástica de la base y se trabaja hacia arriba, para terminar con un pompón muy lucido.

TALLAS

Mediana (Grande).

MEDIDAS FINALES

Circunferencia: 45,5 (50,5) cm.

MUESTRAS

16 p. y 22 v. = 10 cm a punto liso o punto de elástico 1/1 (ligeramente estirado) con ag circ. del n.º 10 (6 mm) y la lana en doble.
26 p. = 15,5 cm en dibujo de ochos (estirado) con ag. circ. del n.º 10 (6 mm) y la lana en doble.
Hacer siempre las muestras.

NOTA

Se trabaja siempre con la hebra doble.

GLOSARIO DE PUNTOS

Cruce de 6 p. a la izq.: desl. los 3 p. sig. a una ag. aux. por delante, 3 p. der., 3 p. der. de la ag. aux.

DIBUJO DE OCHOS

1.ª a 3.ª v. 5 (7) p. der., [2 p. rev., 6 p. der.] 3 veces, 2 p. rev., 10 (14) p. der., [2 p. rev., 6 p. der.] 3 veces, 2 p. rev., 5 (7) p. der.
4.ª v. 5 (7) p. der., 2 p. rev., cruzar 6 p. a la izq., 2 p. rev., 6 p. der., 2 p. rev., cruzar 6 p. izq., 2 p. rev., 10 (14) p. der., 2 p. rev., cruzar 6 p. izq., 2 p. rev., 6 p. der., 2 p. rev., cruzar 6 p. izq., 2 p. rev., 5 (7) p. der.
5.ª a 7.ª v. rep. las v. 1.ª a 3.ª
8.ª v. 5 (7) p. der., 2 p. rev., 6 p. der., 2 p. rev., cruzar 6 p. izq., 2 p. rev., 6 p. der., 2 p. rev., 10 (14) p. der., 2 p. rev., 6 p. der., 2 p. rev., cruzar 6 p. izq., 2 p. rev., 6 p. der., 2 p. rev., 5 (7) p. der.
Rep. las v. 1.ª a 8.ª para el dibujo de ochos.

GORRO

Banda vuelta

Con la ag. circ. y 2 hebras juntas, montar 72 (80) p. Unir, cuidando de no retorcer los p. en la ag., y poner marc. al ppio. de la v. Trabajar en redondo haciendo 1 p. der./1 p. rev. durante 11,5 cm.

Copa

Rep. 8 veces las v. 1.ª a 8.ª del dibujo de ochos. Cerrar los p. siguiendo el dibujo.

ACABADO

Doblar el gorro por la mitad, casando las secciones de ochos y hacer la costura de arriba. Volver a doblar el gorro por la mitad, casando la sección a punto liso y formando dos picos. Coser las puntas de los picos una con otra. Dar la vuelta al gorro y coser las puntas por debajo.

Pompón

Hacer un pompón de 9 cm de diámetro (ver página 96). Coserlo en lo alto del gorro. Doblar la banda hacia arriba sobre el derecho.

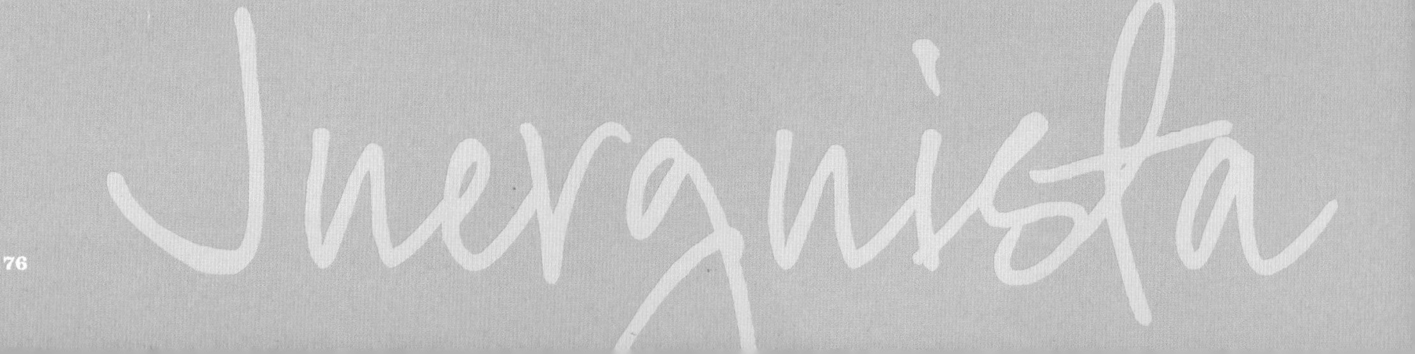

MATERIALES

Lana

La Grand de Classic Elite Yarns, en ovillos de 42 g y aprox. 82 m (mohair/lana/nailon)

- 1 ovillo del n.° 6593 en azul eléctrico (A)

Lamb's Pride Bulky de Brown Sheep Company, en madejas de 113 g y aprox. 114 m (lana/mohair)

- 1 madeja del n.° M05 onyx (B)
- 1 madeja del n.° 197 rojo pasión (C)

Agujas

- 2 agujas circulares (ag. circ.) del n.° 10½ (6,5 mm) de 40 cm de largo o del tamaño adecuado para la muestra
- Un juego de 4 agujas de doble punta (ag. dp.) del n.° 10½ (6,5 mm)

Fornituras

- Marcador de puntos (marc.)
- Papel de calco

PILLBOX CON APLICACIÓN

El idealismo no pasa de moda. Si la estrella no queda perfecta, resulta más irónica.

TALLAS

Mediana (Grande).

MEDIDAS FINALES

Circunferencia: 51 (56) cm.

MUESTRA

10 p. y 20 v. = 10 cm a punto liso con ag. circ. del n.° 10½ (6,5 mm) y A y B juntas (antes de hacer fieltro).

NOTA

Trabajar siempre con A y B juntas.

GLOSARIO DE PUNTOS

Aum.: tejer el p. por delante y por detrás.

GORRO

Corona

Con ag. dp. y A y B juntas, montar 12 p., dejando cabos largos para coser. Dividir los p. en 3 ag. Unir cuidando de no retorcer los p. en las ag., y poner marc. al ppio. de las v.

1.ª v. y todas las v. impares del derecho.

2.ª v. *1 p. der., 1. aum. en el p. sig.; rep. desde * hasta el final = 18 p.

4.ª v. *2 p. der., 1 aum. en el p. sig.; rep. desde * hasta el final = 30 p.

6.ª v. *3 p. der., 1 aum. en el p. sig.; rep. desde * hasta el final = 36 p.

8.ª v. *4 p. der., 1 aum. en el p. sig.; rep. desde * hasta el final = 36 p. Cont. trabajando 1 p. der. más antes del aum., cada 2 v., 5 (6) veces más = 66 (72) p. Hacer del derecho la v. sig. Cambiar a ag. circ. Hacer del rev. 3 v. para marcar la vuelta de la corona.

Copa

Cont. trabajando a punto liso durante 12,5 cm.

Borde delantero

V. sig. con ag. dp., 18 p. der., dejar los otros 48 (54) p. en espera en la ag. circ. Con 2 ag. dp., tejer ida y vuelta a punto liso durante 12,5 cm. Cerrar del der. sin apretar.

Borde trasero

Por el der. lab., unir A y B. Con 2 ag. circ., trabajar ida y vuelta de este modo:

V. sig. (mg.) 2 p. der., 2 p. j. der., del der. hasta los 4 últimos p., 2 p. j. der., 2 p. der. = 46 (52) p. Del revés la v. sig. Rep. estas 2 últimas v. otras 3 veces = 40 (46) p. Cerrar sin apretar del derecho, de este modo: [2 p. j. der.] 2 veces, pasar el primer p. de la ag. dcha. por encima del 2.° p. (surjete), cont. cerrando hasta los últimos 4 p., 2 p. j. der., surjete, 2 p. j. der., surjete.

ESTRELLA APLICADA

Con ag. circ. y C, montar 24 p. Trabajar ida y vuelta a punto liso durante 15 cm. Cerrar sin apretar por el derecho.

ACABADO

Enhebrar los cabos del ppio. en una aguja de tapicería. Pasar por la abertura en lo alto de la corona. Tirar bien y rematar las hebras.

Fieltro

El gorro y la estrella se hacen fieltro por separado. Introducir el gorro en la lavadora en programa de lavado en agua caliente y aclarado en fría, con nivel de agua bajo. Añadir unos vaqueros para que froten y equilibren la agitación. Poner 1 cucharada de detergente y ¼ de taza de bicarbonato al principio del ciclo de lavado. Repetir el ciclo si hiciera falta, hasta que el gorro se haya convertido en fieltro y tenga la medida final indicada. Con las manos darle forma de pillbox con el borde frontal levantado. Dejar secar al aire. Repetir el proceso con la estrella de aplicación. Alisar la pieza. Sujetar el borde delantero del gorro con unas puntadas en cada esquina.

Estrella aplicada

Calcar el patrón de la estrella (página 93) sobre el papel de calco. Recortar el patrón y prenderlo sobre la pieza hecha fieltro. Recortar con tijeras afiladas y, guiándose por la fotografía, colocar la estrella de modo que solape la parte derecha del borde frontal y que las puntas de arriba y de la derecha monten sobre la corona del gorro. Con una sola hebra de C en una aguja de tapicería, coser las puntas de las estrella en su sitio con un punto de nudo (ver página 96).

idealista

MATERIALES

Lana

Aspen de Classic Elite Yarns, en madejas de 100 g y aprox. 47 m (alpaca/lana)
- 2 madejas del n.º 1575 latte (crudo)

Agujas
- Aguja circular (ag. circ.) del n.º 11 (8 mm) y 40 cm de largo o del tamaño adecuado para la muestra
- Un juego de 4 agujas de doble punta (ag. dp.) del n.º 11 (8 mm)
- Aguja auxiliar

Fornituras
- Marcador de puntos (marc.)

GORRA DE VISERA

Las gorras de visera, siempre de actualidad, son más sencillas de tejer de lo que parece. El gorro se trabaja de arriba abajo en redondo siguiendo un vistoso dibujo de cable en relieve, y luego ida y vuelta con menguados a ambos lados para formar la visera. Prueba a hacerla y te convencerás.

TALLAS

Mediana (Grande).

MEDIDAS FINALES

Circunferencia: 48 (57) cm.

MUESTRA

10 p. y 20 v. = 10 cm a punto de cable con ag. circ. del n.º 11 (8 mm).
Hacer siempre la muestra.

GLOSARIO DE PUNTOS

Aum.: tejer el p. por delante y por detrás.
Cruce de 2 p. a la izq.: desl. 1 p. a la ag. aux. por delante, 1 p. rev., 1 p. der. de la ag. aux.
Cruce de 2 p. a la dcha.: desl. 1 p. a la ag. aux. por detrás, 1 p. der., 1 p. rev. de la ag. aux.

DIBUJO DE CABLE

(Múltiplo de 4 p).
1.ª y 2.ª v. *1 p. der., 2 p. rev., 1 p. der.; rep. desde * hasta el final.
3.ª v. *cruzar 2 p. a la izq., cruzar 2 p. a la dcha.; rep. desde * hasta el final.
4.ª a 7.ª v. *1 p. rev., 2 p. der., 1 p. rev.; rep. desde * hasta el final.
8.ª v. *cruzar 2 p. a la dcha., cruzar 2 p. a la izq.; rep. desde * hasta el final.
9.ª y 10.ª v. *1.p. der., 2 p. rev., 1 p. der.; rep. desde * hasta el final.
Rep. las v. 1.ª a 10.ª para el dibujo de cable.

GORRO

Corona

Con ag. dp. y A, montar 12 p., dejando un cabo largo para coser. Dividir los p. en 3 ag. Unir cuidando de no retorcer los p. en las ag., y poner marc. al ppio. de la v.
1.ª v. del derecho.
2.ª v. [1 aum. en el p. sig.] 12 veces = 24 p.
3.ª v. del derecho.
4.ª v. [1 aum. en el p. sig.] 24 veces = 48 p.
5.ª v. del derecho.
Para la talla grande sólo
6.ª v. *5 p. der., 1 aum. en el p. sig.; rep. desde * hasta el final = 56 p.
7.ª v. del derecho.
Para las dos tallas
Cambiar a ag. circ.

Copa

Rep. 2 veces las v. 1.ª a 10.ª de dibujo de cable, luego 1 vez las v. 1.ª a 5.ª
Hacer del revés la v. sig., quitando el marc.

Visera

Se trabaja ida y vuelta con 2 ag. dp. y 2 hebras juntas, de este modo:
1.ª v. (der. lab.) 17 (19) p. der.; girar.
2.ª v. 16 (18) p. der.; girar.
3.ª v. 15 (17) p. der.; girar.
4.ª v. 14 (16) p. der.; girar.
5.ª v. 13 (15) p. der.; girar.
6.ª v. 12 (14) p. der.; girar.
7.ª v. 11 (13) p. der.; girar.
8.ª v. 10 (12) p. der.; girar.
9.ª v. 9 (11) p. der.; girar.
10.ª v. 8 (10) p. der.; girar. Cambiar a ag. circ. y 1 hebra de lana. Marc. en la ag. dcha.
V sig. (der. lab.) 8 (10) p. der., [h. p. rev., 1 p. der.] 5 veces, del rev. hasta 5 p. antes del marc., [1 p. der., h. p. rev.] 5 veces. Cerrar todos los p. del derecho sin apretar.

ACABADO

Enhebrar el cabo del ppio. en una aguja de tapicería. Pasar por la abertura de arriba de la corona. Tirar bien para cerrar y rematar la hebra.

ESCÉPTICO

MATERIALES

Lana
Hand Saint Super Chunky, de Misty Alpaca Yarns, en madejas de 100 g y aprox. 98 m (alpaca/lana)
- 2 madejas del n.º SCH08 fox tail

Agujas
- Aguja circular (ag. circ.) del n.º 13 (9 mm) y de 40 cm de largo o del tamaño adecuado para la muestra
- Un juego de 4 agujas de doble punta (ag. dp.) del n.º 13 (9 mm)

Fornituras
- Marcador de puntos (marc.)

GORRO MULTICOLOR CON BORLA

Por si no bastara con la fantástica alpaca teñida, este gorro tan alegre se completa con una borla adorablemente deshecha. Se teje de arriba abajo a punto de bambú, sencillo y sofisticado a la vez.

TALLAS

Mediana (Grande).

MEDIDAS FINALES

Circunferencia: 48 (53,5) cm.

MUESTRA

10 p. y 12 v. = 10 cm a punto de bambú, con ag. circ. del n.º 13 (9 mm).
Hacer siempre la muestra.

GLOSARIO DE PUNTOS

Aum.: tejer el p. por delante y por detrás.

PUNTO DE BAMBÚ

1.ª v. del derecho.
2.ª v. *h., 2 p. der., pasar la h. por encima de los 2 p. der.; rep. desde * hasta el final.
Repetir las v. 1.ª y 2.ª para el punto de bambú.

GORRO

Corona
Con ag. dp., montar 12 p., dejando un cabo largo para coser. Dividir los p. en 3 ag. Unir, cuidando de no retorcer los p. en las ag., y poner marc. al ppio. de la v.
1.ª v. del derecho.
2.ª v. *1 p. der., 1 aum. en el p. sig.; rep. desde * hasta el final = 18 p.
3.ª v. y todas las v. impares *h., 2 p. der., pasar la h. por encima de los 2 p. der.; rep. desde * hasta el final.
4.ª v. *2 p. der., 1 aum. en el p. sig.; rep. desde * hasta el final = 24 p.
6.ª v. *3 p. der., 1 aum. en el p. sig.; rep. desde * hasta el final = 30 p.
8.ª v. *4 p der., 1 aum. en el p. sig.; rep. desde * hasta el final = 36 p.
10.ª v. *5 p. der., 1 aum. en el p. sig.; rep. desde * hasta el final = 42 p.
12.ª v. *6 p. der., 1 aum. en el p. sig.; rep. desde * hasta el final = 48 p.
Para la talla grande sólo
13.ª v. *h., 2 p. der., pasar la h. por encima de los 2 p. der.; rep. desde * hasta el final.
14.ª v. *7 p. der., 1 aum. en el p. sig.; rep. desde * hasta el final = 54 p.
Para las dos tallas
Cambiar a ag. circ.
Copa
1.ª v. del derecho.
2.ª v. *h., 2 p. der., pasar la h. por encima de los 2 p. der.; rep. desde * hasta el final. Rep. las v. 1.ª y 2.ª hasta que la pieza mida 20,5 cm desde el centro de arriba de la corona.
V. sig. del derecho.
2.ª v. sig. *1 p. der., 1 p. rev.; rep. desde * hasta el final. Cerrar sin apretar a elástico 1/1.

ACABADO

Enhebrar el cabo del ppio. en una aguja de tapicería. Pasar por la abertura arriba de la corona, tirar bien y rematar la hebra.
Borla
Cortar una hebra de 33 cm; reservarla. Enrollar la lana restante 64 veces sobre un cartón de 16,5 cm. En un extremo del cartón, pasar la hebra reservada 2 veces alrededor de la lana enrollada y atar fuerte haciendo un nudo plano. Cortar las hebras atadas en el otro extremo del cartón para soltarlas de él. Coser la borla arriba de la corona con los cabos de la hebra reservada.

Desenvuelto

MATERIALES

Lana

Lamb's Pride Bulky de Brown Sheep Company, en madejas de 113 g y aprox. 114 m (lana/mohair)

- 1 madeja del n.º M28 chianti (rosa claro) (A)
- 1 madeja del n.º M34 Victoria pink (rosa oscuro) (B)

Agujas

- Agujas circulares (ag. circ.) del n.º 8 y del n.º 10½ (5 y 6,5 mm) de 40 cm de largo, o del tamaño adecuado para la muestra
- Un juego de agujas de doble punta (ag. dp.) del n.º 10½ (6,5 mm)

Fornituras

- Marcador de puntos (marc.)

GORRO CON DIBUJO BICOLOR

La célebre artista del Grupo de Bloomsbury, Vanesa Bell, habría tejido encantada este precioso gorro. El dibujo a dos colores es rápido y sencillo, pero parecerá que te has pasado días tejiéndolo.

TALLAS

Mediana (Grande).

MEDIDAS FINALES

Circunferencia: 52 (55) cm.

MUESTRA

14 p. y 20 v. = 10 cm a punto liso con ag. circ. del n.º 10½ (6,5 mm).
Hacer siempre la muestra.

NOTAS

Al cambiar de color, tomar el color nuevo por debajo del anterior para evitar agujeros.
Llevar el color que no se utilice cruzándolo sin tirar por el rev. lab.

GLOSARIO DE PUNTOS

Aum.: tejer el p. por delante y por detrás.

DIBUJO DE PUNTO DESLIZADO

(Múltiplo de 4 p.).
1.ª a 3.ª v. con A, *3 p. der., desl. 1 p.; rep. desde * hasta el final.
4.ª v. con A, del derecho.
5.ª a 7.ª v. con B, *3 p. der., desl. 1 p.; rep. desde * hasta el final.
8.ª v. con B, del derecho.
Rep. las v. 1.ª a 8.ª para el dibujo de p. deslizado.

ELÁSTICO BICOLOR

(Múltiplo de 2 p.).
1.ª v. *con B, 1 p. der., con A, 1 p. rev.; rep. desde * hasta el final.
Rep. a 1.ª v. para el elástico bicolor.

GORRO

Corona

Con ag. dp. y A, montar 12 p., dejando un cabo largo para coser. Dividir los p. en 3 ag. Unir, cuidando de no retorcer los p. en las ag., y poner marc. al ppio. de las v.
1.ª v. del derecho.
2.ª v. *1 aum. en el p. sig.; rep. desde * hasta el final = 24 p.
3.ª a 5.ª v. del derecho.
Nota: cambiar a la ag. circ. larga cuando haya demasiados p. para poder trabajar cómodamente con las ag. dp.
6.ª v. rep. la 2.ª v. = 48 p.
7.ª a 10.ª v. del derecho.
11.ª v. *3 p. der., 1 aum. en el p. sig.; rep. desde * hasta el final = 60 p.
12.ª a 16.ª v. del derecho.
17.ª v. *4 p. der., 1 aum. en el p. sig.; rep. desde * hasta el final = 72 p.
18.ª a 20.ª v. del derecho.
Para la talla grande sólo
21.ª v. *8 p. der., 1 aum. en el p. sig.; rep. desde * hasta el final = 80 p.
22.ª v. del derecho.
Para las dos tallas (vuelta de la corona)
Hacer 3 v. del revés.

Copa

Con B, hacer del derecho la v. sig.
Rep. 4 veces las v. 1.ª a 8.ª a punto deslizado.

Borde

Volver el gorro del derecho (punto del revés). Cambiar a la ag. circ. corta.
1.ª v. [2 p. der., 1 aum. en el p. sig.] 24 (26) veces, 0 (2) p. der. = 96 (106) p.
Tejer 4 v. a punto elástico bicolor.
Cerrar a punto elástico sin apretar siguiendo el dibujo de color.

ACABADO

Enhebrar el cabo del ppio. en una aguja de tapicería. Pasar por la abertura en lo alto de la corona, tirar bien y rematar la hebra. Doblar el elástico del borde hacia el derecho.

MATERIALES

Lana

Lamb's Pride Bulky de Brown Sheep Company, en madejas de 113 g. y aprox. 114 m (lana/mohair)

- 2 (3) madejas del n.º M10 crema

Agujas

- Aguja circular (ag. circ.) del n.º 10½ (6,5 mm) y 40 cm de largo o del tamaño adecuado para la muestra
- 3 agujas de doble punta (ag. dp.) del n.º 10½ (6,5 mm) para cerrar con 3 agujas

Fornituras

- Marcador de puntos (marc.)

GORRO DE ESQUÍ CON BORLAS

Conserva toda tu frescura manteniéndote calentita. Aunque este gorro hará de ti la reina de las nieves, en realidad es de inspiración zen. Se teje a punto de lino; aunque es fácil, lleva tiempo formar esa textura entretejida. Luego se dobla por detrás como una figura de origami y se añaden dos borlas, un sutil cruce entre Oriente y Occidente.

TALLAS

Mediana (Grande).

MEDIDAS FINALES

Circunferencia: 49,5 (56) cm.

MUESTRA

16 p. y 28 v. = 10 cm a punto de lino con ag. circ. del n.º 10½ (6,5 mm).
Hacer siempre la muestra.

GLOSARIO DE PUNTOS

Cerrar con 3 agujas

Poniendo dcho. con dcho., sostener la labor con 2 ag. dp. Introducir la 3.ª ag. como para tejer del derecho, por el 1.er p. de cada ag. y echar la hebra. Hacer esos 2 p. juntos y sacarlos de las ag. *Tejer del der. los 2 p. sig. de igual modo.
Hacer un surjete: desl. el 1.er p. de la 3.ª ag. dp. por encima del 2.º p. y sacarlo de la ag. Rep. desde * del paso 2 hasta cerrar todos los p.

PUNTO DE LINO

(Múltiplo de 2 p).
1.ª v. *1 p. der., h. por delante, desl. 1 p.; rep. desde * hasta el final.
2.ª v. del derecho.
3.ª v. *h. por delante, desl. 1 p., 1 p. der.; rep. desde * hasta el final.
4.ª v. del derecho.
Rep. las v. 1.ª a 4.ª para el p. de lino.

GORRO

Banda

Con la ag. circ., montar 78 (88) p. Unir, cuidando de no retorcer los p. en la ag., y poner marc. al ppio. de la v. Trabajar en redondo a p. de lino durante 10 cm. Volver la pieza poniendo el rev. hacia fuera.

Copa

Cont. a p. de lino hasta que la pieza mida 43 cm desde el ppio. (incluida la banda). Pasar los 39 (44) primeros p. a una ag. dp. y los otros 39 (44) p. a. otra ag. dp. Cerrar los p. con 3 ag.

ACABADO

Doblar la banda hacia el dcho. Doblar el gorro aplastado. Doblar las esquinas de la dcha. y la izq. hacia arriba, enfrentándolas en el centro del borde superior. Coserlas una con otra. Doblar la parte de arriba del gorro en dirección contraria de modo que el borde superior quede a 2,5 cm del borde superior de la banda y que los dobleces de arriba del gorro miren hacia fuera. Coser el borde superior central a un lado del gorro para que quede en su sitio.

Borlas (hacer 2)

Enrollar la lana 28 veces alrededor de un cuadrado de cartón de 9 cm. Cortar dos hebras de 30,5 cm. Pasar una de ellas por dentro de las hebras enrolladas. Subir la hebra hasta arriba del cartón. Igualar los cabos de la hebra y hacer un nudo plano bien apretado. Cortar la hebra enrollada por el borde opuesto del cartón para soltar la borla del cartón. Enrollar la otra hebra larga 6 veces alrededor de la borla, a 2 cm de la parte de arriba. Atarla haciendo un nudo plano apretado. Enhebrar los cabos en una aguja de tapicería y pasar la aguja de arriba abajo por el centro de la borla, sacándola por abajo. Recortar la borla para igualar las puntas. Utilizando los cabos de arriba, coser la borla en el pico derecho de donde se unen los picos del gorro. Hacer otra borla igual y coserla al pico izquierdo donde se unen los picos del gorro.

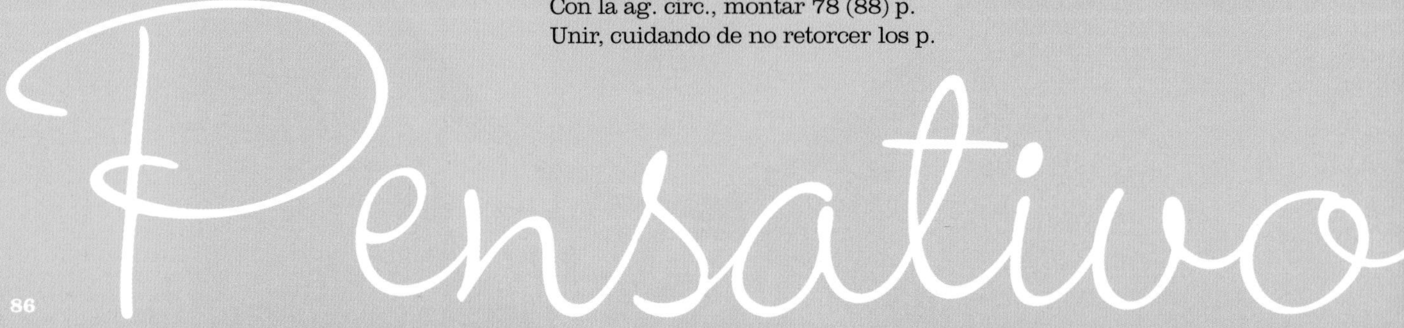

MATERIALES

Lana

Pura lana DK de Rowan/Westminster Fibers Inc., en ovillos de 50 g y aprox. 115 m (lana superlavable)

- 2 ovillos del n.º 9 avocado (aguacate)

Agujas

- Aguja circular (ag. circ.) del n.º 6 (4 mm) de 61 cm de largo o del tamaño adecuado para la muestra
- Aguja circular (ag. circ.) del n.º 5 (3,5 mm) y 40 cm de largo
- Un juego de 4 agujas de doble punta (ag. dp.) del n.º 6 (4 mm)

Fornituras

- Marcador de puntos (marc.)

GORRO CON AVELLANAS

Que nada ni nadie se interponga entre tú y la moda. Este elegante gorro fruncido en la coronilla, inspirado en un erizo de mar, es un magnífico complemento para cualquier estación. Se monta desde la banda y se trabaja hacia arriba, combinando punto de vid y avellanas.

TALLAS

Mediana (Grande).

MEDIDAS FINALES

Circunferencia: 51 (56) cm.

MUESTRA

22 p. y 28 v. = 10 cm en p. con dibujo, utilizando la ag. circ. más larga.
Hacer siempre la muestra.

GLOSARIO DE PUNTOS

Aum.: tejer el p. por delante y por detrás.
Avellana (av.): [1 p. der., 1 p. rev.] 3 veces en el mismo p., haciendo el p. de rev. con presilla larga, y obteniendo 6 p. en 1; pasar luego los p. 5.º, 4.º, 3.º, 2.º y 1.º por encima del último p. tejido.

ELÁSTICO RETORCIDO

(Sobre un n.º de puntos par).
1.ª v. *1 p. der. ret., 1 p. rev.; rep. desde * hasta el final. Repetir esta v. para el elástico retorcido.

PUNTO CON DIBUJO

(Múltiplo de 11 p.).
1.ª v. *av., 10 p. der.; rep. desde * hasta el final.
2.ª v. *3 p. der., 2 p. j. der., h., 2 p. j. der. dejando los p. en la ag. izq., de nuevo, 1 p. der. y sacar los 2 p. de la ag. izq., h., SS., 2 p. der.; rep. desde * hasta el final.
3.ª v. del derecho.
4.ª v. *2 p. der., 2 p. j. der., h., 4 p. der., SS., 1 p. der.; rep. desde * hasta el final.
5.ª v. del derecho.
6.ª v. *av., 2 p. j. der., h., 1 p. der., 2 p. j. der., h. (2 veces), SS.; 1 p. der., h., SS.; rep. desde * hasta el final.
7.ª v. *5 p. der., 1 p. rev., 5 p. der.; rep. desde * hasta el final.
8.ª v. *3 p. der., h., SS., 2 p. der., 2 p. j. der., h., 2 p. der.; rep. desde * hasta el final.
9.ª v. del derecho.
10.ª v. *4 p. der., h., SS., 2 p. j. der., h., 3 p. der.; rep. desde * hasta el final.
Rep. las v. 1.ª a 10.ª para el dibujo.

GORRO

En la ag. circ. más corta, montar 88 (96) p. Unir, cuidando de no retorcer los p. en la ag., y poner marc. al ppio. de las v. Tejer 7 (9) v. a elástico retorcido.
V. sig. (aum.) 0 (2) p. der., *1 p. der., 1 aum. en el p. sig.; rep. desde * hasta el final = 132 (143) p.
Cambiar a la ag. circ. más larga. Cont. tejiendo el dibujo, rep. 5 veces las v. 1.ª a 10.ª, luego la 1.ª v. una vez. Tejer del derecho las 0 (3) v. sig.

Corona

Cambiar a ag. dp., dividiendo los p. en 3 ag.
V. sig. *2 p. j. der.; rep. desde * hasta el final, terminando con 0 (1) p. der. = 66 (71) p.
V. sig. rep. la última v. = 33 (36) p.
V. sig. *2 p. j. der.; rep. desde * hasta el final terminando con 1 (0) p. der. = 17 (18) p.
V. sig. rep. la última v. = 9 p. Cortar la hebra dejando un cabo de 15,5 cm. Enhebrarlo en una aguja de tapicería y pasarlo por los p. restantes. Tirar bien de la hebra y rematar.

Instrucciones

Modesto (Viene de la página 20).

Borde
Cambiar a ag. dp. Trabajar 7 v. en elástico 1 der./1 rev.
V. sig. Cerrar 12 (15) p. en elástico, trabajar los 10 p. sig. en elástico, pasar 11 p. de la ag. dcha. a un imperdible, cerrar los 38 (44) p. siguientes a p. de elástico, pasar 11 p. de la ag. dcha. a un imperdible, cerrar los demás p.

ACABADO
Enhebrar el cabo del ppio. en una aguja de tapicería. Pasar el cabo por la abertura en lo alto de la corona. Tirar para cerrar y rematar.
Tiras de atar
Pasar los 11 p. de un imperdible a 1 ag. dp. más pequeña. Unir la hebra. Trabajando ida y vuelta con 2 ag. dp., cont. a p. de elástico hasta tener 51 cm. Cerrar sin apretar a p. de elástico. Rep. para la otra tira de atar.

Caprichoso (Viene de la página 26).

Fieltro
Poner las aplicaciones de flores en la lavadora en un programa caliente/aclarado con agua fría con nivel de agua bajo. Introducir también unos vaqueros para que froten y equilibren el tambor. Añadir una cucharada de detergente y ¼ de taza de bicarbonato al principio del ciclo de lavado. Repetir el ciclo, si hiciera falta, hasta que las piezas de lana se hayan hecho fieltro. Aplanar las piezas y dejarlas secar al aire.
Aplicaciones de flores
Con el compás de lápiz, dibujar un círculo de 9,5 cm de diámetro en un papel. Recortarlo para hacer una plantilla. Para cada flor, prender la plantilla sobre la pieza de fieltro. Recortarla con tijeras afiladas. Dar ocho cortes de 2,5 cm de largo alrededor del disco para formar los pétalos. Colocar la flor sobre una orejera de modo que el borde inferior de la flor quede a 0,5 cm del borde inferior de la orejera y que la flor quede centrada lateralmente. Con una sola hebra de E y una aguja de tapicería, coser la flor en su sitio y adornar el centro con puntos de nudo (ver página 96).

Enérgico (Viene de la página 44).

Marc. en la ag. izq.
4.ª v. tejer 33 p. a elástico 1/1; volver, marc. en la ag. izq.
5.ª v. tejer 30 p. a elástico 1/1; girar.
6.ª v. tejer 27 p. a elástico 1/1; girar.
7.ª v. tejer 24 p. a elástico 1/1; girar.
8.ª v. tejer 21 p. a elástico 1/1; girar.
9.ª v. tejer 18 p. a elástico 1/1; girar.
10.ª v. tejer 15 p. a elástico 1/1; girar.
11.ª v. tejer a elástico 1/1 hasta el marc. del ppio., quitando los otros 2 marc.
12.ª v. del derecho. Cerrar los p. por el derecho sin apretar.

ACABADO
Enhebrar el cabo del ppio. en una aguja de tapicería. Pasar por la abertura en lo alto de la corona. Tirar bien y rematar la hebra. Volver la banda hacia el lado dcho. y coserla para sujetarla.

Animoso (Viene de la página 46).

Empezar el gráfico VI
1.ª v. tejer 8 p. dib., rep. 9 veces. Cont. siguiendo así el dibujo hasta la 5.ª v. Cont. con A de este modo:
V. sig. del derecho.
V. sig (aum.) *3 p. der., 1 aum. en el p. sig.; rep. desde * hasta el final = 80 p.
V. sig. del derecho.
Empezar el gráfico VII
1.ª v. tejer 20 p. dib., rep. 4 veces. Cont. siguiendo así el dib. hasta la 5.ª v. Cont. con A de este modo:
V. sig. del derecho. Cambiar a la ag. circ.
V. sig. (aum.) *4 p. der., 1 aum. en el p. sig.; rep. desde * hasta el final = 96 p.
V. sig. del derecho.
Copa
Empezar el gráfico VIII
1.ª v. tejer 8 p. dib., rep. 12 veces. Cont. siguiendo así el dib. hasta la 6.ª v. Cont. con A de este modo:
V. sig. del derecho.
Empezar el gráfico IX
1.ª v. tejer 4 p. dib., rep. 27 veces. Cont. siguiendo así el dib. hasta la 3.ª v. Cont. con A de este modo:
V. sig. del derecho.
Para la talla mediana sólo
V. sig. del derecho.
Para la talla grande sólo
V. sig. (aum.) [12 p. der., 1 aum. en el p. sig.] 8 veces, 4 p. der. = 116 p.
Para las dos tallas
V. sig. del derecho.

Empezar el gráfico X
1.ª v. tejer 4 p. dib., rep. 27 (29) veces. Cont. así siguiendo el dib. hasta la 4.ª v. Cont. con A de este modo:
3 v. sig. del derecho.
Empezar el gráfico XI
1.ª v. tejer 4 p. dib., rep. 27 (29) veces. Cont. así siguiendo el dib. hasta la 3.ª v. Cont. con A de este modo:
3 v. sig. del derecho.
Banda y orejeras
Cambiar a F. Tejer en elástico 2 p. der./2 p. rev. durante 5 cm.
V. sig. tejer en elástico los primeros 38 (41) p., cerrar los 32 (34) p. sig., trabajar en elástico hasta el final. Tejiendo ida y vuelta, con 2 ag. circ., cont. en elástico durante 5 cm. Cerrar sin apretar a p. de elástico.

ACABADO
Enhebrar el cabo del ppio. en una aguja de tapicería. Pasar por la abertura en lo alto de la corona. Tirar bien y rematar la hebra.
Pompón
Hacer un pompón de 7,5 cm de diámetro con lanas B, D y E (ver página 96). Coserlo en la punta del gorro.

Código de color

- Chambray (A)
- Rose Spice (B)
- Yucca Mix (C)
- Chianti (D)
- Cardinal (E)
- Blue Violet (F)
- Turquoise Mix (G)

Gráfico I

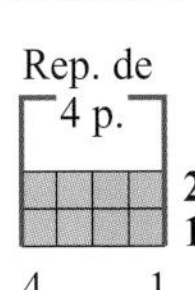

Gráfico II

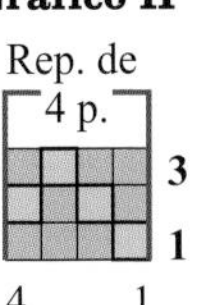

Gráfico III

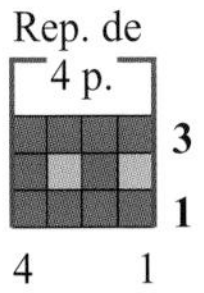

Rep. de 4 p.
3
1
4 1

Gráfico IV

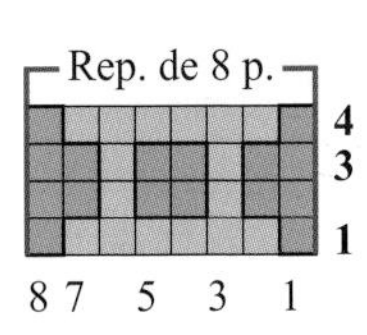

Gráfico V

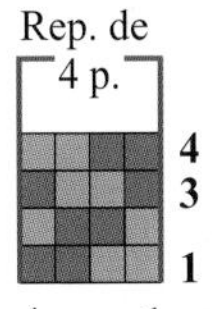

Gráfico VI

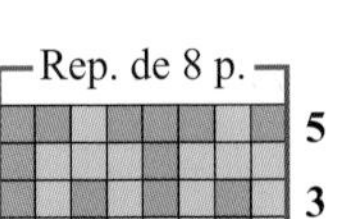

Gráfico VII

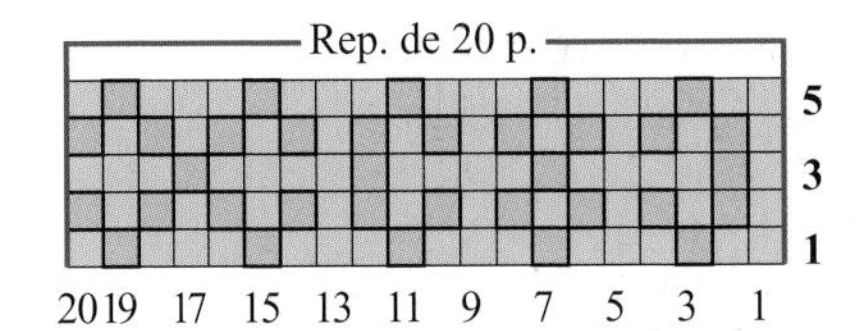

Gráfico VIII

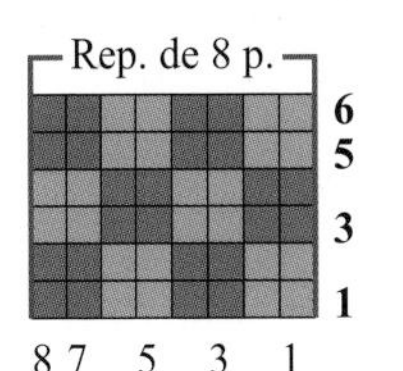

Gráfico IX

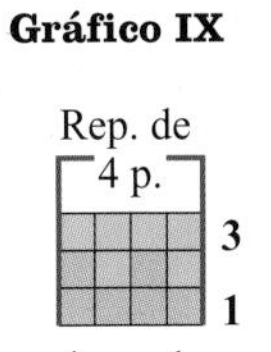

Gráfico X

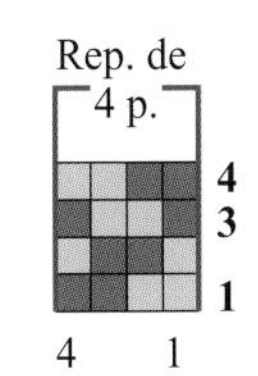

Gráfico XI

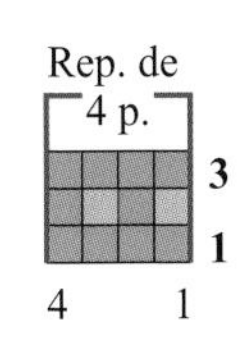

Instrucciones

Noble (Viene de la página 60).

4 p. der., h., 1 p. der., desl. marc., 1 p. der., h., del rev. hasta 1 p. antes del marc., h., 1 p. der. = 61 p.

20.ª v. 2 p. der., 5 p. rev., 7 p. der., 1 p. rev., 1 aum. en el p. sig., 1 p. rev., 1 p. der., 1 p. rev., 1 aum. en el p. sig., 1 p. rev., 7 p. der., 5 p. rev., 2 p. der., desl. marc., 2 p. der., del rev. hasta 2 p. antes del sig. marc., 2 p. der. = 63 p.

21.ª v. 1 p. der., h., 4 p. rev., 2 p. j. rev., 3 p. der., h., 1 p. der., h., [3 p. der., 3 p. rev.] 2 veces, 3 p. der., h., 1 p. der., h., 3 p. der., 2 p. j. rev., 4 p. rev., h., 1 p. der., desl. marc., 1 p. der., h., del rev. hasta 1 p. antes del marc., h., 1 p. der. = 69 p.

22.ª v. 2 p. der., 5 p. rev., 9 p. der., 1 p. rev., 1 aum. en el p. sig., 1 p. rev., 3 p. der., 1 p. rev., 1 aum. en el p. sig., 1 p. rev., 9 p. der., 5 p. rev., 2 p. der., desl. marc., 2 p. der., del rev. hasta 2 p. antes del sig. marc., 2 p. der. = 71 p.

23.ª v. 1 p. der., h., 4 p. rev., 2 p. j. rev., 4 p. der., h., 1 p. der., h., 4 p. der., 4 p. rev., 3 p. der., 4 p. rev., 4 p. der., h., 1 p. der., h., 4 p. der., 2 p. j. rev., 4 p. rev., h., 1 p. der., desl. marc., 1 p. der., h., del rev. hasta 1 p. antes del marc., h., 1 p. der. = 77 p.

24.ª v. 2 p. der., 5 p. rev., 11 p. der., 1 p. rev., 1 aum. en el p. sig., 2 p. rev., 3 p. der., 2 p. rev., 1 aum. en el p. sig., 1 p. rev., 11 p. der., 5 p. rev., 2 p. der., desl. marc., 2 p. der., del rev. hasta 2 p. antes del sig. marc., 2 p. der. = 79 p.

25.ª v. 1 p. der., h., 4 p. rev., 2 p. j. rev., 2 p. j. der., 7 p. der., 2 p. j. der., 5 p. rev., 3 p. der., 5 p. rev., 2 p. j. der., 7 p. der., 2 p. j. der., 2 p. j. rev., 4 p. rev., h., 1 p. der., desl. marc., 1 p. der., h., del rev. hasta 1 p. antes del marc., h., 1 p. der. = 77 p.

26.ª v. 2 p. der., 5 p. rev., 9 p. der., 5 p. rev., aum. en el p. sig., 1 p. der., aum. en el p. sig., 5 p. rev., 9 p. der., 5 p. rev., 2 p. der., desl. marc., 2 p. der., del rev. hasta 2 p. antes del sig. marc., 2 p. der. = 79 p.

Tejido recto

Nota: el número de p. aumenta y disminuye de una v. a otra.

27.ª v. 2 p. der., 3 p. rev., 2 p. j. rev, 2 p. j. der., 5 p. der., 2 p. j. der., 5 p. rev., [h., 1 p. rev.] 2 veces, 1 p. der., [1 p. rev., h.] 2 veces, 5 p. rev., 2 p. j. der., 5 p. der., 2 p. j. der., 2 p. j. rev., 3 p. rev., 2 p. der., desl. marc., 2 p. der., del rev. hasta 2 p. antes del sig. marc., 2 p. der.

28.ª v. 2 p. der., 4 p. rev., 7 p. der., 5 p. rev., 3 p. der., 1 aum. en el p. sig., 1 p. der., 1 aum. en el p. sig., 3 p. der., 5 p. rev., 7 p. der., 4 p. rev., 2 p. der., desl. marc., 2 p. der., del rev. hasta 2 p. antes del sig. marc., 2 p. der.

29.ª v. 2 p. der., 2 p. rev., 2 p. j. rev., 2 p. j. der., 3 p. der., 2 p. j. der., 5 p. rev., [1 p. der., h.] 2 veces, [1 p. der., 2 p. rev.] 2 veces, 1 p. der., [h., 1 p. der.] 2 veces, 5 p. rev, 2 p. j. der., 3 p. der., 2 p. j. der., 2 p. j. rev., 2 p. rev., 2 p. der., desl. marc., 2 p. der., del rev. hasta 2 p. antes del sig. marc., 2 p. der.

30.ª v. 2 p. der., 3 p. rev., 5 p. der., 5 p. rev., 5 p. der., 1 p. rev., 1 aum. en el p. sig., 1 p. der., 1 aum. en el p. sig., 1 p. rev., 5 p. der., 5 p. rev., 5 p. der., 3 p. rev., 2 p. der., desl. marc., 2 p. der., del rev. hasta 2 p. antes del sig. marc., 2 p. der.

31.ª v. 2 p. der., 1 p. rev., 2 p. j. rev., 2 p. j. der., 1 p. der., 2 p. j. der., 5 p. rev., 2 p. der., h., 1 p. der., h., 2 p. der., 3 p. rev., 1 p. der., 3 p. rev., 2 p. der., h., 1 p. der., h., 2 p. der., 5 p. rev., 2 p. j. der., 1 p. der., 2 p. j. der., 2 p. j. rev., 1 p. rev., 2 p. der., desl. marc., 2 p. der., del rev. hasta 2 p. antes del sig. marc., 2 p. der.

32.ª v. 2 p. der., 2 p. rev., 3 p. der., 5 p. rev., 7 p. der., 1 p. rev., 1 aum. en el p. sig., 1 p. rev., 1 p. der., 1 p. rev., 1 aum. en el p. sig., 1 p. rev., 7 p. der., 5 p. rev., 3 p. der., 2 p. rev., 2 p. der., desl. marc., 2 p. der., del rev. hasta 2 p. antes del sig. marc., 2 p. der.

33.ª v. 2 p. der., 2 p. j. rev., 3 p. j. der., 5 p. rev., 3 p. der., h., 1 p. der., h., [3 p. der., 3 p. rev.] 2 veces, 3 p. der., h., 1 p. der., h., 3 p. der., 5 p. rev., 3 p. j. der., 2 p. j. rev., 2 p. der., desl. marc., 2 p. der., del rev. hasta 2 p. antes del sig. marc., 2 p. der.

34.ª v. 2 p. der., 7 p. rev., 9 p. der., 1 p. rev., 1 aum. en el p. sig., 1 p. rev., 3 p. der., 1 p. rev., 1 aum. en el p. sig., 1 p. rev., 9 p. der., 7 p. rev., 2 p. der., desl. marc., 2 p. der., del rev. hasta 2 p. antes del sig. marc., 2 p. der.

35.ª v. 2 p. der., 5 p. rev., 2 p. j. rev., 4 p. der., h., 1 p. der., h., 4 p. der., 4 p., rev., 3 p. der., 4 p. rev., 4 p. der., h., 1 p. der., h., 4 p. der., 2 p. j. rev., 5 p. rev., 2 p. der., desl. marc., 2 p. der., del rev. hasta 2 p. antes del sig. marc., 2 p. der.

36.ª v. 2 p. der., 6 p. rev., 11 p. der., 1 p. rev., 1 aum. en el p. sig., 2 p. rev., 3 p. der., 2 p. rev., 1 aum. en el p. sig., 1 p. rev., 11 p. der., 6 p. rev., 2 p. der., desl. marc., 2 p. der., del rev. hasta 2 p. antes del sig. marc., 2 p. der.

37.ª v. 2 p. der., 4 p. rev., 2 p. j. rev., 2 p. j. der., 7 p. der., 2 p. j. der., 5 p. rev., 3 p. der., 5 p. rev., 2 p. j. der., 7 p. der., 2 p. j. der., 2 p. j. rev., 4 p. rev., 2 p. der., desl. marc., 2 p. der., del rev. hasta 2 p. antes del sig. marc., 2 p. der.

38.ª v. 2 p. der., 5 p. rev., 9 p. der., 5 p. rev., 1 aum. en el p. sig., 1 p. der., 1 aum. en el p. sig., 5 p. rev., 9 p. der., 5 p. rev., 2 p. der., desl. marc., 2 p. der., del rev. hasta 2 p. antes del sig. marc., 2 p. der.

39.ª v. 2 p. der., 3 p. rev., 2 p. j. rev, 2 p. j. der., 5 p. der., 2 p. j. der., 5 p. rev., [h., 1 p. rev.] 2 veces, 1 p. der., [1 p. rev., h.] 2 veces, 5 p. rev., 2 p. j. der., 5 p. der., 2 p. j. der., 2 p. j. rev., 3 p. rev., 2 p. der., desl. marc., 2 p. der., del rev. hasta 2 p. antes del sig. marc., 2 p. der.

40.ª v. 2 p. der., 4 p. rev., 7 p. der., 5 p. rev., 3 p. der., 1 aum. en el p. sig., 1 p. der., 1 aum. en el p. sig., 3 p. der., 5 p. rev., 7 p. der., 4 p. rev., 2 p. der., desl. marc., 2 p. der., del rev. hasta 2 p. antes del sig. marc., 2 p. der.

41.ª v. 2 p. der., 2 p. rev., 2 p. j. rev., 2 p. j. der., 3 p. der., 2 p. j.der., 5 p. rev., [1 p. der., h.] 2 veces, [1 p. der., 2 p. rev.] 2 veces, 1 p. der., [h., 1 p. der.] 2 veces, 5 p. rev., 2 p. j. der., 3 p. der., 2 p. j. der., 2 p. j. rev., 2 p. rev., 2 p. der., desl. marc., 2 p. der., del rev. hasta 2 p. antes del sig. marc., 2 p. der.

42.ª v. 2 p. der., 3 p. rev., 5 p. der., 5 p. rev., 1 p. rev., 1 aum. en el p. sig., 1 p. der., 1 aum. en el p. sig., 1 p. rev., 5 p. der., 5 p. rev., 5 p. der., 3 p. rev., 2 p. der., desl. marc., 2 p. der., del rev. hasta 2 p. antes del sig. marc., 2 p. der.

43.ª v. 2 p. der., 1 p. rev., 2 p. j. rev., 2 p. j. der., 1 p. der., 2 p. j. der., 5 p. rev., 2 p. der., h., 1 p. der., h., 2 p. der., 3 p. rev., 1 p. der., 3 p. rev., 2 p. der., h., 1 p. der., h., 2 p. der., 5 p. rev., 2 p. j. der., 1 p. der., 2 p. j. der., 2 p. j. rev., 1 p. rev., 2 p. der., desl. marc., 2 p. der., del rev. hasta 2 p. antes del sig. marc., 2 p. der.

44.ª v. 2 p. der., 2 p. rev., 3 p. der., 5 p. rev., 7 p. der., 1 p. rev., 1 aum. en el p. sig., 1 p. rev., 1 p. der., 1 p. rev., 1 aum. en el p. sig., 1 p. rev., 7 p. der., 5 p. rev., 3 p. der., 2 p. rev., 2 p. der., desl. marc., 2 p. der., del rev. hasta 2 p. antes del sig. marc., 2 p. der.

45.ª v. 2 p. der., 2 p. j. rev., 3 p. j. der., 5 p. rev., 3 p. der., h., 1 p. der., h., [3 p. der., 3 p. rev.] 2 veces, 3 p. der., h., 1 p. der., h., 3 p. der., 5 p. rev., 3 p. j. der., 2 p. j. rev., 2 p. der., desl. marc., 2 p. der., del rev. hasta 2 p. antes del sig. marc., 2 p. der.

46.ª v 2 p. der., 7 p. rev, 9 p. der., 1 p. rev., 1 aum. en el p. sig., 1 p. rev., 3 p. der., 1 p. rev., 1 aum. en el p. sig., 1 p. rev., 9 p. der.,

7 p. rev., 2 p. der., desl. marc., 2 p. der., del rev. hasta 2 p. antes del sig. marc., 2 p. der.
Rep. las v. 35.ª a 46.ª otras 7 veces, luego 1 vez las v. 35.ª y 36.ª = 83 p.

Forma lateral

1.ª v. 2 p. der., 2 p. j. rev., 2 p. rev., 2 p. j. rev., 2 p. j. der., 7 p. der., 2 p. j. der., 6 p. rev., h., 1 p. der., h., 6 p. rev., 2 p. j. der., 7 p. der., 2 p. j. der., 2 p. j. rev., 2 p. rev., 2 p. j. rev., 2 p. der., desl. marc., 2 p. der., 2 p. j. rev., del rev. hasta 4 p. antes del marc., 2 p. j. rev., 2 p. der. = 75 p.

2.ª v. 2 p. der., 4 p. rev., 9 p. der., 6 p. rev., 3 p. der., 6 p. rev., 9 p. der., 4 p. rev., 2 p. der., desl. marc., 2 p. der., del rev. hasta 2 p. antes del sig. marc., 2 p. der.

3.ª v. 2 p. der., 2 p. j. rev., 2 p. rev., 2 p. j. der., 5 p. der., 2 p. j. der., 6 p. rev., [1 p. der., h.] 2 veces, 1 p. der., 6 p. rev., 2 p. j. der., 5 p. der., 2 p. j. der., 2 p. rev., 2 p. j. rev., 2 p. der., desl. marc., 2 p. der., 2 p. j. rev., del rev. hasta 4 p. antes del marc., 2 p. j. rev., 2 p. der. = 69 p.

4.ª v. 2 p. der., 3 p. rev., 7 p. der., 6 p. rev., 5 p. der., 6 p. rev., 7 p. der., 3 p. rev., 2 p. der., desl. marc., 2 p. der., del rev. hasta 2 p. antes del sig. marc., 2 p. der.

5.ª v. 2 p. der., 2 p. j. rev., 1 p. rev., 2 p. j. der., 3 p. der., 2 p. j. der., 6 p. rev., 2 p. der., h., 1 p. der., h., 2 p. der., 6 p. rev., 2 p. j. der., 3 p. der., 2 p. j. der., 1 p. rev., 2 p. j. rev., 2 p. der., desl. marc., 2 p. der., 2 p. j. rev., del rev. hasta 4 p. antes del marc., 2 p. j. rev., 2 p. der. = 63 p.

6.ª v. 2 p. der., 2 p. rev., 5 p. der., 6 p. rev., 7 p. der., 6 p. rev., 5 p. der., 2 p. rev., 2 p. der., desl. marc., 2 p. der., del rev. hasta 2 p. antes del sig. marc., 2 p. der.

7.ª v. 2 p. der., 2 p. j. rev., 2 p. j. der., 1 p. der., 2 p. j. der., 6 p. rev., 3 p. der., h., 1 p. der., h., 3 p. der., 6 p. rev., 2 p. j. der., 1 p. der., 2 p. j. der., 2 p. j. rev, 2 p. der., desl. marc., 2 p. der., 2 p. j. rev., del rev. hasta 4 p. antes del marc., 2 p. j. rev., 2 p. der. = 57 p.

8.ª v. 2 p. der., 1 p. rev., 3 p. der., 6 p. rev., 9 p. der., 6 p. rev., 3 p. der., 1 p. rev., 2 p. der., desl. marc., 2 p. der., del rev. hasta 2 p. antes del sig. marc., 2 p. der.

9.ª v. 2 p. der., 1 p. rev., 3 p. j. der., 2 p. j. rev., 4 p. rev., 4 p. der., h., 1 p. der., h., 4 p. der., 4 p. rev., 2 p. j. rev., 3 p. j. der., 1 p. rev., 2 p. der., desl. marc., 2 p. der., 2 p. j. rev., del rev. hasta 4 p. antes del marc., 2 p. j. rev., 2 p. der. = 51 p.

10.ª v. 2 p. der., 7 p. rev., 11 p. der., 7 p. rev., 2 p. der., desl. marc., 2 p. der., del rev. hasta 2 p. antes del sig. marc., 2 p. der.

11.ª v. 2 p. der., 2 p. j. rev., 5 p. rev., 2 p. j. der., 7 p. der., 2 p. j. der., 5 p. rev., 2 p. j. rev., 2 p. der., desl. marc., 2 p. der., 2 p. j. rev., del rev. hasta 4 p. antes del marc., 2 p. j. rev., 2 p. der. = 45 p.

12.ª v. 2 p. der., 6 p. rev., 9 p. der., 6 p. rev., 2 p. der., desl. marc., 2 p. der., del rev. hasta 2 p. antes del sig. marc., 2 p. der.

13.ª v. 2 p. der., 2 p. j. rev., 4 p. rev., 2 p. j. der., 5 p. der., 2 p. j. der., 4 p. rev., 2 p. j. rev., 2 p. der., desl. marc., 2 p. der., 2 p. j. rev., del rev. hasta 4 p. antes del sig. marc., 2 p. j. rev., 2 p. der. = 39 p.

14.ª v. 2 p. der., 5 p. rev., 7 p. der., 5 p. rev., 2 p. der., desl. marc., 2 p. der., del rev. hasta 2 p. antes del sig. marc., 2 p. der.

15.ª v. 2 p. der., 2 p. j. rev., 3 p. rev., 2 p. j. der., 3 p. der., 2 p. j. der., 3 p. rev., 2 p. j. rev., 2 p. der., desl. marc., 2 p. der., 2 p. j. rev., del rev. hasta 4 p. antes del marc., 2 p. j. rev., 2 p. der. = 33 p.

16.ª v. 2 p. der., 4 p. rev., 5 p. der., 4 p. rev., 2 p. der., desl. marc., 2 p. der., del rev. hasta 2 p. antes del sig. marc., 2 p. der.

17.ª v. 2 p. der., 2 p. j. rev., 2 p. rev., 2 p. j. der., 1 p. der., 2 p. j. der., 2 p. rev., 2 p. j. rev., 2 p. der., desl. marc., 2 p. der., 2 p. j. rev., del rev. hasta 4 p. antes del marc., 2 p. j. rev., 2 p. der. = 27 p.

18.ª v. 2 p. der., 3 p. rev., 3 p. der., 3 p. rev., 2 p. der., desl. marc., 2 p. der., del rev. hasta 2 p. antes del sig. marc., 2 p. der.

19.ª v. 2 p. der., 2 p. j. rev., 1 p. rev., 3 p. j. der., 1 p. rev., 2 p. j. rev., 2 p. der., desl. marc., 2 p. der., 2 p. j. rev., del rev. hasta 4 p. antes del marc., 2 p. j. rev., 2 p. der. = 21 p.

20.ª v. 2 p. der., 5 p. rev., 2 p. der., desl. marc., 2 p. der., del rev. hasta 2 p. antes del sig. marc., 2 p. der.

21.ª v. 2 p. der., 2 p. j. rev., 1 p. rev., 2 p. j. rev., 2 p. der., desl. marc., 2 p. der., 2 p. j. rev., del rev. hasta 4 p. antes del marc., 2 p. j. rev., 2 p. der. = 17 p.

22.ª v. 2 p. der., 3 p. rev., 2 p. der., desl. marc., 2 p. der., del rev. hasta 2 p. antes del sig. marc., 2 p. der.

23.ª v. 2 p. der., 3 p. j. rev., 2 p. der., desl. marc., 2 p. der., 2 p. j. rev., del rev. hasta 4 p. antes del marc., 2 p. j. rev., 2 p. der. = 13 p.

24.ª v. 2 p. der., 2 p. j. rev., 2 p. der., quitar el 2.º marc., del der. hasta el final = 12 p.

Segunda tira

Tejer en redondo a punto liso durante 38 cm. Cerrar sin apretar del derecho.

ACABADO

Coser para cerrar las puntas de las tiras. Con aguja e hilo de coser, coser una perla en la base de cada par de hojas y en la base de la hoja suelta.

Idealista (Patrón de la página 78).

Hallar la medida correcta

HALLAR LA MEDIDA EXACTA

Cuando se ven gorros en una tienda, lo más probable es que la etiqueta indique "talla única". Aunque debería indicar que sirve para casi todas las tallas, porque aunque la mayoría de los adultos tienen un perímetro de cabeza de 50 cm, lo cierto es que varía entre 47,5 y 57,5 cm. Es decir que hay 10 cm de diferencia entre la cabeza más pequeña y la más grande, lo que no es poco. Y si tu cabeza tiene el perímetro menor, nadará dentro de un gorro de talla única y si tiene el perímetro mayor, te apretará el gorro insoportablemente. Lo bueno es que si tejes tu propio gorro, lo puedes hacer a tu medida, una medida más exacta que las de los gorros del comercio. Los modelos de este libro se explican para dos tallas —mediana y grande— o, en algunos casos en los que no importa la talla, en una sola.

Medir la talla adecuada

Para determinar la talla de sombrero, se enrolla una cinta métrica en torno a la cabeza, alineándola con la parte más saliente de la frente, donde vaya a colocarse la banda (normalmente hacia el centro de la frente) y el saliente de la cabeza, paralelo a la frente. La circunferencia será probablemente de 47,5 a 57,5 cm. En ciertos casos, la cabeza puede ser más pequeña y tener un perímetro de 46 cm, o más grande, parecida a la de un hombre, de 60 cm. Medidas inferiores suelen corresponder a niños y no se incluyen en este libro. Comprobar la tabla de más abajo para determinar la medida del gorro antes de tejerlo.

Diseñar un gorro a la medida

En la mayoría de los modelos, habrá que hacer el gorro de una circunferencia menor que la de la cabeza para que quede ceñido y no caiga sobre los ojos. ¿Cuánto más pequeño debe ser el gorro? Entre 2,5 y 5 cm, según el modelo. Yo suelo dejar un margen de 5 cm. Pero, una vez más, dependiendo del modelo de gorro y de lo ajustado que deba quedar, varío ese margen como convenga.

Para ajustar un patrón se utiliza el calibre de lana. Por ejemplo, si el contorno de cabeza es de 53 cm y se va a tejer un gorro de 48 cm, se multiplica el calibre de la lana/cm por 48 para obtener el número de puntos de la banda.

Variaciones de la talla de gorros

La mayoría de los gorros deportivos y ceñidos deben quedar ajustados para resistir las inclemencias del tiempo y los movimientos deportivos. Pero algunos modelos deben "encajar" realmente. Las boinas y las boinas escocesas, de copa muy ancha, se hacen menos ajustadas para que apoyen más bien en la coronilla. Los sombreros de fieltro también se apoyan sobre la cabeza, en lugar de ceñirse a ella.

Otro dato a tener en cuenta para determinar la talla final del sombrero es si el ala va a ir doblada hacia arriba o no. Doblar el ala o la banda, ya sea elástica o con dibujo, requiere dejar un margen de varios puntos más para dar holgura al tejido si va a ir doble. Por tanto, aunque una cabeza media tenga un perímetro de 51 cm, el número de puntos que hay que montar (o con los que terminar si se teje de arriba abajo) no tiene por qué ser exactamente de 46 cm (51 menos 5). Esto se observa en la siguiente colección de patrones, pero no te asustes: es suficiente con que te ajustes a la muestra dada porque estos modelos se han probado para ofrecer las medidas más adecuadas.

	Talla mediana de gorro	**Talla grande de gorro**
Perímetro de la cabeza	48,5 – 53,5 cm	56 – 58,5 cm
Medida normal del gorro (gorro ajustado o ceñido; depende del modelo de gorro)	46 cm	53,5 cm

ANATOMÍA DEL GORRO

El gorro típico consta de varias partes. Conviene conocer sus nombres para tejerlo y poder seguir el patrón con facilidad. Hay que tener en cuenta que no todos los modelos incluyen todas las partes.

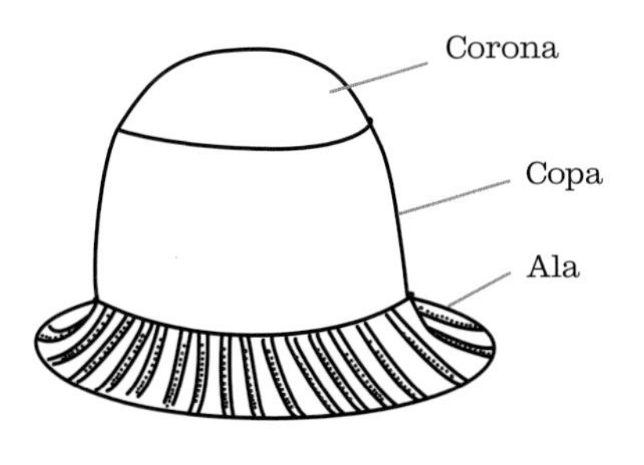

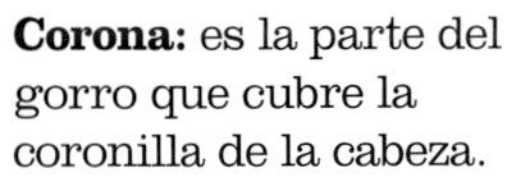

Corona: es la parte del gorro que cubre la coronilla de la cabeza.

Vuelta de la corona: es la línea que perfila la corona distinguiéndola de la copa.

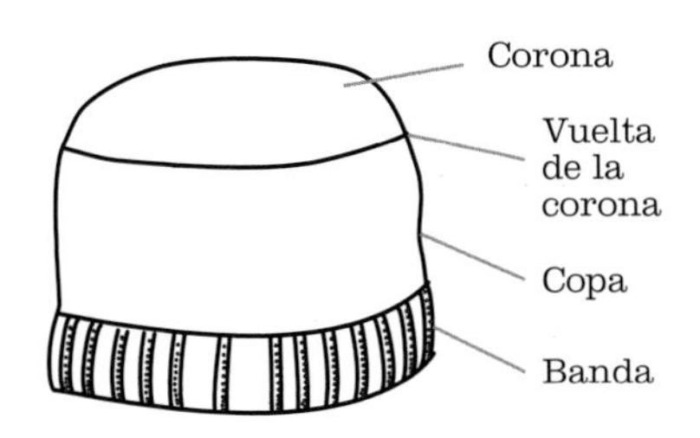

Copa: es la porción recta del gorro que se extiende hacia abajo desde la corona.

Ala o banda: es una proyección optativa que parte de la parte inferior de la corona y que recorre horizontalmente la circunferencia del gorro.

ABREVIATURAS

*	Repetir las instrucciones después de * tantas veces como se indique
[]	Repetir las instrucciones entre los signos tantas veces como se indique
ag.	Aguja(s)
ag. aux.	Aguja auxiliar (se utiliza sobre todo para ochos)
ag. circ.	Aguja(s) circular(es)
ag. dp.	Aguja(s) de doble punta
aprox.	Aproximadamente
aum.	Aumentar/ aumento
cad.	Cadeneta
cm	Centímetro(s)
cont.	Continuar
dcha./dcho.	Derecha/ derecho
der.	Derecho
der. lab.	Derecho de la labor
desl.	Deslizar/ deslizado
dib.	Dibujo
g	gramo(s)
h.	Hebra/echar la hebra
h. por del.	Hebra por delante de la labor
h. por det.	Hebra por detrás de la labor
h. rev.	Hebra como si se tejiera 1 p. del revés
izq.	Izquierdo/a
j.	juntos
m	Metro(s)
marc.	Marcador de puntos
mg.	Menguar/ menguado
mm	Milímetro(s)
p.	Punto(s)
p. der.	Punto tejido del derecho
p. desl.	Punto deslizado (sin tejer)
p. j. der.	Puntos tejidos juntos del derecho
p. j. rev.	Puntos tejidos juntos del revés
p. rev.	Punto tejido del revés
ppio.	Principio
pres.	Presilla(s)
rep.	Repetir
ret.	Retorcido (el punto se teje por la presilla de detrás)
rev.	Revés
rev. lab.	Revés de la labor
SD. 2 desl.	Surjete doble deslizando 2 p.
SD. 2 tej.	Surjete doble, tejiendo 2 p.
sig.	Siguiente(s)
SS.	Surjete sencillo: deslizar 1 p., tejer el p. sig. y pasarlo por encima del p. tejido con lo que se mengua 1 p.
v.	Vuelta(s)

PUNTOS DE BORDADO

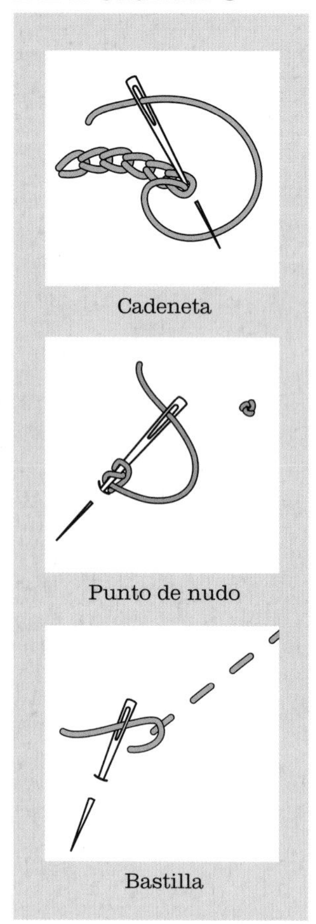
Cadeneta

Punto de nudo

Bastilla

CÓMO SE HACE UN POMPÓN

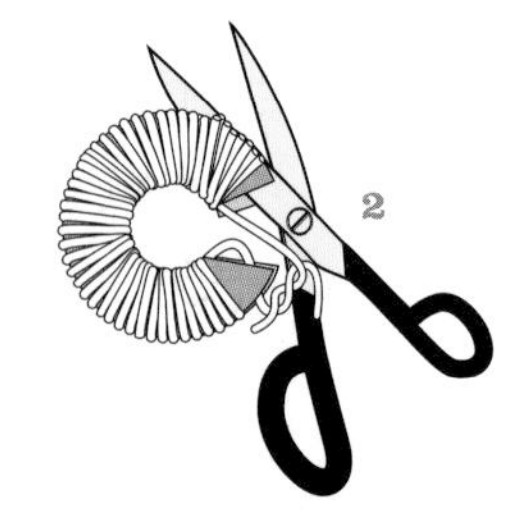

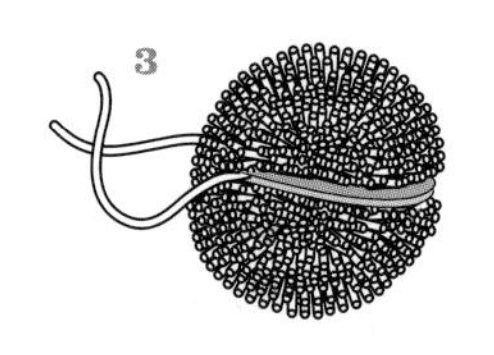

1. Cortar dos discos de cartón del ancho deseado para el pompón y hacer un agujero en el centro. Luego cortar una cuña en los dos aros.
2. Sujetar los dos aros juntos y enrollar la hebra apretada alrededor de los dos cartones. Luego cortar la lana con cuidado alrededor, entre los dos cartones.
3. Atar una hebra apretando el nudo entre los dos aros de cartón. Retirar los cartones y recortar el pompón para igualarlo.

LA AUTORA

Cathy Carron es autora de varios libros, entre ellos, *Bufandas de punto,* publicado en esta misma editorial. Sus creaciones y modelos han aparecido en revistas como *Vogue Knitting, Knit.1, Knit Simple, Interweave Knits* o *Knitsecene.* Reside en la ciudad de Nueva York junto a su marido y dos hijas.

De la misma autora: